Chère lectrice,

Vous le savez comme moi, il y a mille façons de définir la réussite, le succès, dans la voie que nous avons choisie ou vers laquelle la vie nous a poussés. Alors, pour un écrivain, surtout un auteur de romans d'amour, que signifie réussir, atteindre son but ? Peut-être pour certains s'agit-il de faire recette, d'être internationalement connus, de toucher le plus de lecteurs possible… Pour d'autres, le succès est de trouver chaque fois les mots justes, pour exprimer finement les sentiments, les émotions, et d'offrir aux lecteurs une belle histoire au souffle romanesque…

Ces auteurs-là ne sont jamais aussi heureux que lorsque arrive sur leur bureau la lettre d'un lecteur, d'une lectrice qui leur dit : « Votre livre m'a ému(e). Longtemps après l'avoir refermé, j'ai pensé à cette histoire, au parcours des personnages, aux épreuves qu'ils ont traversées et à leur manière de les vaincre pour trouver le bonheur. »

Ainsi, dans notre monde moderne qui nous enivre de distractions faciles en tout genre mais aussi de contraintes, et qui ne nous laisse aucun moment de répit, romanciers et lecteurs forment une sorte de cercle très spécial : un cercle d'intimité, où l'on sait se donner le temps d'ouvrir un livre, de se glisser dans une histoire, et de vivre pour quelques heures la vie de personnages qui cherchent l'amour. Comme nous tous.

Bonne lecture,

La responsable de collection

L'époux irlandais

CYNTHIA THOMASON

L'époux irlandais

éMOTIONS

_____

*éditions*Harlequin

Cet ouvrage a été publié en langue anglaise
sous le titre :
THE HUSBAND SHE NEVER KNEW

Traduction française de
ADRIENNE CHAUMONT

HARLEQUIN®

est une marque déposée du Groupe Harlequin
et Émotions® est une marque déposée d'Harlequin S.A.

Photos de couverture
Couple : © KID MILLMAN / ICONICA
Paysage marin : © DIGITAL VISION / GETTY IMAGES

Toute représentation ou reproduction, par quelque procédé que ce soit, constituerait une contrefaçon sanctionnée par les articles 425 et suivants du Code pénal.
© 2004, Cynthia Thomason. © 2005, Traduction française : Harlequin S.A.
83-85, boulevard Vincent-Auriol, 75013 PARIS — Tél. : 01 42 16 63 63
Service Lectrices — Tél. : 01 45 82 47 47
ISBN 2-280-07905-4 — ISSN 1768-773X

Prologue

Orlando, Floride, 1990

Il faisait une chaleur étouffante lorsque Vicki Sorenson se gara et descendit de sa vieille voiture. Elle décolla son corsage de son dos moite, tout en frottant ses lèvres l'une contre l'autre de manière à répartir la couche de rouge pastèque qu'elle venait d'appliquer à la va-vite devant le rétroviseur. Puis elle se passa la langue sur les dents afin d'effacer d'éventuelles traces.

Tandis qu'elle se dirigeait vers le palais de justice avec son sac en bandoulière battant contre sa hanche, elle aperçut Kenny Corcoran, le cuisinier du fast-food où elle travaillait, qui lui faisait signe du haut des marches. Le fait de voir l'ami qui avait négocié la tractation lui procura un certain réconfort.

Vicki découvrit en même temps celui qu'elle venait épouser. Son cœur se mit à cogner contre ses côtes pendant qu'elle montait l'escalier. Ce Jamie Malone semblait remplir toute l'entrée de l'édifice. Il irradiait une énergie qui le poussait à être continuellement en mouvement ; quand il ne balançait pas son long corps d'un pied sur l'autre, il s'étirait l'échine ou se massait la nuque.

Résistant à l'envie de prendre ses jambes à son cou, Vicki s'arrêta timidement sur l'avant-dernière marche en essayant de se souvenir pourquoi elle était là et pour quelle raison elle ne pouvait pas reculer.

— Dépêche ! lui souffla Kenny. Vous avez juste le temps de faire connaissance.

Faire connaissance ! Le comble de l'absurdité pour deux tourtereaux sur le point de convoler. Cependant, pour deux tricheurs qui avaient appris leur rôle au pied levé par personne interposée, c'était le minimum indispensable. Il s'agissait de convaincre un fonctionnaire de l'Immigration que leur union était dictée par le grand amour, et d'obtenir ainsi le droit de signer leur certificat de mariage devant le juge de paix.

Kenny, personnage assez mystérieux et membre d'une secrète confrérie irlandaise, fit les présentations.

Comme Jamie Malone lui adressait un grand sourire, Vicki monta la dernière marche et serra la main qu'il lui tendait. Elle constata alors qu'il dépassait de beaucoup son mètre soixante-huit. Il avait de longs doigts maigres, assortis à sa silhouette, et une teinte brunâtre incrustée sous les ongles, bien qu'il fût propre et rasé de près. D'après Kenny, il était ouvrier menuisier, en situation irrégulière, et avait besoin d'un permis de séjour pour rester aux Etats-Unis.

— Bonjour, mademoiselle. C'est une bonne action que vous accomplissez, dit-il. Vous sauvez probablement ma pauvre carcasse d'une prison de Belfast.

Vicki le trouva aussi agréable à entendre qu'à regarder. Son accent irlandais, mélodieux et lyrique, cascadait avec la même richesse que l'épaisse chevelure flamboyante plus ou moins disciplinée par un lien de cuir sur sa nuque.

— Inutile de me remercier, rétorqua-t-elle. J'ai, moi aussi, de bonnes raisons pour avoir accepté ce marché. Vous le connaissez.

Sa réponse cassante n'altéra pas le sourire de Jamie Malone.

— Bien sûr, j'ai la somme ici, assura-t-il en tapotant la poche de sa chemise écossaise. Permettez-moi tout de même de vous exprimer ma gratitude. J'imagine que sacrifier son célibat de cette façon ne doit pas être facile.

— Non, en effet, ce n'est pas facile, convint-elle.

Cela dit, à vingt et un ans, Vicki n'estimait pas que cette décision puisse affecter le reste de sa vie. Dans ce même palais de justice, des mariages se nouaient et se dénouaient tous les jours. Pour l'instant, son seul souci était d'arriver devant le magistrat patenté sans se faire pincer par le service d'Immigration, et de voir cette liasse de billets passer de la chemise de Jamie Malone dans son propre portefeuille.

— Maintenant, ordonna Kenny, tutoyez-vous, tenez-vous par la main, et souriez. Toi surtout, Vicki.

Vicki obéit.

Le divorce se réglerait en son temps.

1.

Fort Lauderdale, 2003

Victoria Sorenson avait beau être déjà mariée, elle n'allait pas laisser un détail – un mari factice qu'elle n'avait pas vu depuis treize ans et pas plus de quatre-vingt-dix minutes en tout – lui gâcher sa joie quand elle s'apprêtait à épouser l'homme de ses rêves.

Pendant qu'elle remplissait leurs verres du merlot grand cru qu'elle avait choisi pour l'occasion, son amie Louise Duncan la scruta par-dessus la table avec une suspicion moqueuse.

— Lâche le morceau, Vic ! Cette étincelle dans ton œil va m'aveugler. A quoi dois-je porter un toast ?

— Est-ce si flagrant ?

Louise piqua une queue de gamba et tint sa fourchette en l'air.

— Nous ne sommes pas dans le boui-boui du coin, il me semble. J'ai une table avec vue sur l'océan dans l'un des restaurants les plus huppés de la ville et c'est toi qui m'invites. Comme ce n'est pas mon anniversaire, que fêtons-nous ?

Ménageant ses effets et bien décidée à faire durer le suspense, Vicki croisa les mains sur la nappe.

— Devine.

— Tant que tu continues à payer le vin, je peux y passer des heures, rétorqua Louise avec ce petit rictus narquois qu'elle maîtrisait en virtuose.

Trop excitée pour prolonger le jeu, Vicki capitula.

— Graham s'apprête à faire sa demande !

Cette fois, l'amie blasée reposa sa fourchette sur le bord de son assiette.

— Non ! C'est la dernière des choses que je serais allée imaginer. Aurait-il enfin obtenu la bénédiction de tous les Townsend accrochés aux murs de leur bibliothèque ?

Vicki repoussa derrière son oreille une mèche de ses cheveux mordorés qui sortaient de chez le coiffeur.

— Il semblerait que je sois passée du stade probatoire à l'échelon « acceptable » dans l'estime de son illustre famille.

— Quel soulagement ! railla Louise, recouvrant son cynisme coutumier.

— Pour lui, certainement, admit Vicki.

Graham tenait beaucoup à l'approbation de ses parents qui, bien sûr, rechignaient à voir figurer une roturière sur leur arbre généalogique. Son appartenance à la vieille aristocratie du Massachusetts avait toujours représenté le plus gros obstacle entre eux. Depuis le début de leur relation, Vicki s'était sans relâche escrimée à montrer ses qualités, ses bonnes manières et son ambition professionnelle, afin de faire oublier aux Townsend ses piteux ancêtres, simples fermiers immigrés du Middle West.

— Et tout ce beau monde s'est résigné à renoncer aux héritiers ? demanda Louise d'un ton faussement anodin.

Vicki baissa les yeux et pignocha dans son assiette. Il serait grand temps qu'elle aborde le sujet avec Graham... Elle n'était pas foncièrement contre l'idée de la maternité, mais elle ne voulait pas d'enfants parce qu'elle n'était pas sûre de savoir les élever. Comment pourrait-elle jamais devenir une bonne mère ?

En guise d'éducation, elle n'avait connu que ce qui s'apparentait à une forme de dressage, assortie de menaces de châtiment et d'un perpétuel sentiment de culpabilité. Nils et Clara Sorenson avaient affiché le même dégoût pour leur rôle de parents que pour tous les autres aspects de leur existence. Pour des gens qui abordaient la vie comme un chapelet de corvées, une gamine à charge ne représentait qu'un fardeau supplémentaire. N'ayant rien appris de la tendresse maternelle, Vicki avait trop peur de faire pâtir un être innocent de son inexpérience.

Graham la comprendrait certainement.

— Je ne lui en ai pas encore parlé, avoua-t-elle. Mais je suis sûre que nous parviendrons à un compromis.

Louise pouffa de rire en trempant un gressin dans son vin.

— Ma biche, il n'existe pas de compromis possible sur ce terrain-là ! Des enfants, tu en as ou tu n'en as pas. Je ne vois pas de moyen terme...

Elle grignota l'insolite gressin rosâtre de sa création avant de reprendre :

— Mais autre chose m'intrigue. Comment sais-tu que Graham « s'apprête » à faire sa demande ?

Vicki ne fut que trop contente de changer de sujet.

— Il a glissé quelques allusions évidentes. Hier, avant de partir pour Amsterdam, il m'a dit qu'il était fier de moi, que l'ouverture du magasin serait la grande soirée de ma vie, et qu'il voulait que notre relation dure très, très longtemps.

— Rien que ça ? Mais enfin, chérie, Graham est ton importateur d'antiquités. Es-tu sûre qu'il n'évoquait pas simplement une florissante relation d'affaires ?

Vicki arbora un petit air suffisant.

— Sûre et certaine, ma chère amie sceptique. Parce que, peu après m'avoir dit ça, il est allé s'enfermer dans la salle de bains et j'ai remarqué que mon améthyste avait disparu de la commode où je l'avais posée...

Elle agita le bijou qu'elle portait toujours à l'annulaire de sa main droite.

— ... elle est revenue à sa place comme par magie quand il est ressorti.

— La vieille ruse : on « emprunte » la bague pour prendre la pointure.

— Exact. Tu me crois, maintenant ?

Louise hocha la tête.

— D'accord. Donc, dans quinze jours, tu ouvres l'une des boutiques les plus somptueuses de Las Olas Boulevard, et tu pourrais, par la même occasion, exhiber un diamant des Townsend à ton doigt...

Vicki égrena un rire.

— Je doute que mes futurs beaux-parents me sacrifient un diamant de famille, mais je me contenterai parfaitement d'un modeste solitaire de la joaillerie du coin !

Elle n'essaya même pas de réprimer les frissons de plaisir qui la parcouraient.

— Oh ! Loulou ! J'ai tellement ramé pour en arriver là ! Monter ma propre affaire ! Et, par-dessus le marché, décrocher le prince charmant ! Tu te rends compte ?

Louise lui tapota affectueusement la main.

— Je suis heureuse pour toi, Vic. Sincèrement...

Heureuse, peut-être, mais le pli creusé entre ses sourcils annonçait un bémol qui ne tarda pas à suivre :

13

— Seulement, pardonne-moi de soulever le lièvre, mais j'entrevois une petite complication que tu esquives depuis treize ans.

Comme leur amitié datait de quinze ans, époque de leur rencontre à l'université d'Orlando, Louise était bien placée pour savoir que, si Vicki avait relégué Jamie Malone aux oubliettes, elle avait des excuses.

A l'époque, elle était venue en Floride dans l'espoir de se libérer de ses parents et de poursuivre ses études tout en travaillant. Elle s'était vite rendu compte qu'une adolescente conditionnée à la culpabilité ne se libère pas si facilement du joug. Finalement, elle avait dû renoncer à l'université et travailler sans relâche pour se dédouaner d'avoir quitté ses humbles racines oppressantes. Pendant des années, son quotidien n'avait été qu'un âpre combat pour simplement survivre. Jusqu'au jour où elle s'était découvert un don pour les antiquités. Dès lors, en se tuant à la tâche, Vicki était parvenue à gagner assez d'argent pour amasser son propre pécule tout en envoyant son obole mensuelle dans l'Indiana, où elle s'était juré de ne jamais remettre les pieds.

La vieille ferme délabrée au bord du champ de maïs lui envahit soudain l'esprit.

— C'est vrai, convint-elle, j'aurais dû m'occuper plus tôt de ce mariage truqué. Cela dit, reconnais que, jusqu'ici, j'ai eu des soucis plus importants.

— Bien sûr ! ironisa Louise. Tu as trimé comme un forçat pour entretenir des parasites.

Vicki se hérissa.

— Ah non ! Ne commence pas !

Elle ne pourrait jamais maîtriser ce réflexe irrationnel qui la poussait à défendre ses géniteurs qui n'en méritaient sûrement pas tant.

Louise rétrograda – à sa manière insidieuse.

— O.K., excuse-moi. Revenons à nos moutons irlandais, madame Malone…

— Pas ça non plus ! grinça Vicki.

— C'est pourtant approprié. Ton mariage représente plus qu'un simple souci, ma belle. Notre législation est claire : tu n'as pas le droit d'épouser un second mari sans avoir liquidé le premier d'une façon ou d'une autre. Donc, si Graham se déclare, que comptes-tu faire ?

— Je compte sur toi, maître Duncan.

— Sans blague !

C'était l'une des raisons pour lesquelles, joignant l'utile à l'agréable, Vicki l'avait invitée à dîner : sa meilleure amie se trouvait être également son avocate.

— Par pitié, ôte-moi cette épine du pied, Loulou ! J'ai besoin de tes lumières plus que jamais.

— Tu aurais été mieux avisée de me consulter il y a treize ans, avant de commettre cette énormité.

Vicki roula des yeux.

— Tu n'étais pas encore avocate, alors, chicana-t-elle. Et puis de toute façon, il me fallait absolument cet argent.

Louise poussa un soupir exaspéré.

— Mais bien sûr ! Rappelle-moi donc ce que c'était… La sécheresse en Indiana ? La toiture de la grange qui s'écroulait ? Papa qui avait besoin d'un dentier, ou…

— Arrête ! Je t'ai expliqué mille fois que je me sentais obligée.

Fille d'un couple de médecins d'Orlando qui ne lui avaient jamais rien demandé de plus que de réussir ses examens et de téléphoner une fois par semaine, Louise ne comprendrait jamais ce genre d'aliénation.

— Peut-être, ma biche, mais il n'empêche que ça me révolte. Dieu sait combien de fois j'ai vu tes parents abuser de ton grand cœur ! Mais vendre ta liberté pour les tirer d'une de leurs mouises perpétuelles… personne n'a le droit d'en accepter autant d'une fille de vingt ans !

— Ne sois pas injuste. Ils n'ont jamais su d'où venait cet argent.

— Bon sang, Vic ! C'est encore pire qu'ils ne s'en soient jamais inquiétés !

Ce n'était pas la première fois que Louise la tarabustait sur le sujet, mais la vérité était toujours aussi douloureuse à entendre. D'un point de vue objectif, Vicki pouvait admettre le raisonnement, mais elle ne parvenait pas à l'adopter pour autant. Elle avait lu quelque part que les enfants mal-aimés avaient plus de difficultés que les autres à couper le cordon. Sans doute ne parviendrait-elle jamais à juger ses parents avec le recul nécessaire et elle en avait pris son parti. Après tout, ils étaient ses parents…

Louise secoua la tête.

— Tu aurais pu te mettre dans un fichu pétrin, tu sais. Ce Malone était un parfait étranger.

— N'exagère pas. C'était l'ami d'un ami.

— Un obscur collègue de fast-food, tu parles ! Tu ne les connaissais pas plus l'un que l'autre. La seule chose que tu sais, c'est que ce Jamie Malone était un gibier de potence.

— Jamie n'était sûrement pas un criminel !

— Alors pourquoi la prison lui pendait-elle au nez ?

— A Belfast, Loulou. Une histoire politique, je suppose.

— Tu ne lui as jamais demandé ?

Vicki soupira.

— Non. Je n'allais pas m'encombrer les méninges d'informations inutiles quand j'avais cinquante pages de mensonges à apprendre pour pouvoir raconter aux autorités combien nous nous aimions et tout ce que nous faisions ensemble.

Elle en eut soudain assez d'être mise sur la sellette.

— Espèce de rabat-joie ! s'indigna-t-elle. Tu m'asticotes sur le passé alors que je viens comme l'agneau déposer mon avenir entre tes mains !

Malicieuse, Louise montra ses crocs acérés.

— Intéressant…

— Ne badine pas, méchant loup ! Dans quinze jours j'aurai la bague au doigt et je veux la porter dignement, comme la respectable célibataire que Graham et les Townsend croient que je suis. Alors, tu m'obtiens le divorce ou une annulation, n'importe quoi, mais vite fait et sans bruit.

Louise grimaça.

— Je crains que tu n'exiges l'impossible, chérie. Vu que ton lascar s'est évaporé dans la nature depuis belle lurette, tu n'as d'autre choix que l'abandon.

— Et alors ?

— Eh bien, pour commencer, il faut publier un avis de recherche dans la presse régionale de sa dernière adresse connue pendant quatre semaines consécutives. Ensuite, tu devras déposer ta requête au tribunal d'ici, qui décidera d'un laps de temps pour attendre que M. Malone se manifeste. S'il se manifeste, nous lui enverrons une sommation à comparaître et le procès ne fera que commencer. S'il ne se manifeste pas, nous devrons prouver que tu as épuisé tous les filons possibles pour le localiser. Le juge prononcera ton divorce quand il sera convaincu que tu as fait assez d'efforts.

Vicki combattit une poussée de panique galopante.

— Loulou, tu plaisantes ? Je viens de te dire que je dois avoir réglé ça dans quinze jours !

Prenant une mine sinistre, Louise se pencha pour chuchoter :

— Et ce n'est pas tout ! Pendant quatre semaines, ton nom sera imprimé dans la presse d'Orlando accolé à celui de Malone. Tu as intérêt à prier pour que ton encart n'éveille pas les soupçons d'un fouineur trop zélé de l'INS.

La seule mention de l'INS suffit à glacer les sangs de Vicki.

Elle s'imaginait rattrapée par le service d'Immigration et Naturalisation des Etats-Unis et, après toutes ces années, inculpée pour mariage frauduleux monnayé contre acquisition illégale de permis de séjour.

— Tu m'effraies… est-ce qu'il n'y a pas prescription, après un certain temps, pour ce genre de chose ?

O Seigneur ! Et si les Townsend tombaient sur son nom dans le journal et enquêtaient sur son passé ? La réaction de Graham ? Vicki n'osait même pas y songer. Il était charmant mais pouvait se montrer affreusement rigoriste en matière de respectabilité… Et sa famille, donc ! Plus aucune chance de figurer sur l'arbre généalogique !

— Je n'en sais rien, répondit Louise. Mais, même en dehors de ce risque aléatoire, le divorce au motif d'abandon est une procédure longue et onéreuse, qui sera entièrement à tes frais.

Vicki avait investi toute sa cagnotte dans le magasin, mais les affaires reprendraient dès l'ouverture. Ce n'était pas l'aspect financier du problème qui l'affolait.

— Je suis perdue ! Si je me mets à repousser le mariage une fois nos fiançailles officialisées, Graham ne comprendra pas et les Townsend me prendront complètement en grippe… Je t'en supplie, réfléchis, il doit bien y avoir une autre solution !

Louise pianota sur la nappe en soupesant la question. Finalement, une lueur jaillit :

— Au point où tu en es… ça risque de retarder encore la procédure si tu échoues, mais ça vaut peut-être le coup d'essayer…

— Essayer quoi ?

— De retrouver Malone par tes propres moyens et de lui proposer un divorce à l'amiable. Je ne vois pas pourquoi il refuserait. Même s'il voulait pinailler, je te rédigerais une convention assez solide pour qu'il n'y déniche pas la moindre faille à contester. Si ça marche, tu revois ton Jamie le temps de lui faire signer les papiers, tu reviens ici déposer le dossier au tribunal, et l'affaire est bâclée en deux coups de cuillère à pot, comme n'importe quel consentement mutuel sans actif ni passif ni progéniture à se disputer.

Vicki sentit l'espoir renaître.

— Et comment je fais pour le retrouver ?

— Je te mets en rapport avec notre agence de détectives. La firme les emploie depuis des années ; je peux t'assurer qu'ils sont sérieux, rapides et efficaces. Je leur demanderai de t'appeler demain.

Des détectives de la grande firme d'avocats Oppenheimer, Strauss & Baker, Vicki pouvait avoir confiance. Elle versa une généreuse rasade de merlot dans le verre de son amie.

— Tu es géniale, ma Loulou ! Là, je te dois la tournée des grands ducs.

Louise arqua ses sourcils noirs finement épilés.

— Compte sur moi pour te le rappeler le moment venu !

Le lundi matin, Vicki avait rendez-vous à 9 heures avec le décorateur. Pendant qu'elle discutait des derniers fignolages du magasin, un peintre calligraphiait Thé et Antiquités en vieille scripte anglaise sur les vitres serties au plomb de la devanture à l'ancienne. Elle avait choisi de placer les lettres de haut en bas sur le côté, et le résultat paraissait très élégant.

Que de chemin parcouru, depuis le jour où elle avait vu la pancarte « Bail à céder » sur ce local de cinq cents mètres carrés ! Vicki ne regretterait jamais d'y avoir investi toutes ses économies, ni d'avoir abandonné sa modeste brocante mal située pour s'installer sur ce boulevard, parmi les grandes banques, les bureaux d'avocats et les boutiques de luxe.

Afin de se démarquer des autres antiquaires, elle avait eu l'idée de conjuguer le confort et le raffinement d'un salon de thé anglais avec l'attrait des meubles anciens et objets d'art exposés à la vente dans l'autre moitié de la salle. Elle comptait sur son originalité pour attirer la clientèle.

Après lui avoir confirmé que tout serait fin prêt à la fin de la semaine, le décorateur prit congé. Il venait de partir quand le téléphone sonna. A cette heure-ci, avec le décalage horaire, ce ne pouvait pas être Graham qui appelait d'Amsterdam, calcula-t-elle en allant décrocher.

— Thé et Antiquités.

— Mlle Sorenson ?

Une voix inconnue.

— Oui.

— Russell Weaver, d'Investigations intérieures. Je viens de recevoir un appel de Me Louise Duncan m'avisant que vous auriez besoin de nos services.

Louise n'avait pas traîné, Dieu merci ! Vicki s'appuya d'une fesse sur l'angle de son bureau chippendale en acajou.

— En effet, monsieur Weaver, j'aurais besoin que vous localisiez une personne le plus vite possible.

— Un ancien mari, c'est cela ?

Son avocate s'étant montrée prudente, Vicki ne rectifia pas en précisant qu'il s'agissait de son mari *actuel*.

— Exact.

— Son nom ?

— Jamie Malone.

— Dernière adresse connue ?

— A Orlando. Je... ne sais pas exactement.

— Profession ? enchaîna Weaver comme s'il suivait son texte sur un formulaire.

— Je ne suis pas sûre non plus. Menuisier, charpentier, ébéniste... dans le bois, en tout cas.

Elle se sentait incroyablement ridicule. N'importe quelle ex-épouse en savait certainement plus sur son ancien mari.

— Il changeait souvent de travail, se justifia-t-elle en feignant d'ignorer le ricanement sceptique qui lui parvenait dans l'écouteur. Je ne l'ai pas revu depuis treize ans.

— Son âge ?

Ouf ! Ça, elle le savait. Ils avaient quatre ans de différence.

— Trente-huit ans.

Après une série d'autres questions pertinentes auxquelles Vicki répondit avec la même ambiguïté gênante, Russell Weaver se permit un sarcasme non déguisé :

— Auriez-vous, par hasard, une description de cet ancien mari, madame Sorenson ?

C'était le seul point où la moquerie tombait mal. Comment Vicki aurait-elle pu oublier sa première vision de Jamie Malone en haut des marches du palais de justice ? Les genoux flageolants, les paumes moites, elle était arrivée en tremblant comme une feuille d'automne devant le garçon qu'elle devait épouser contre la coquette somme de cinq mille dollars.

Oui, elle pouvait facilement brosser un portrait assez détaillé de son mari.

— Roux aux yeux verts. Grand, environ un mètre quatre-vingt-cinq. Les épaules carrées, mais mince, enfin à l'époque. Il avait les cheveux longs, épais, foisonnants. L'allure dynamique…

Elle passa sous silence d'autres traits qui lui avaient laissé un souvenir impérissable. Sa franche effronterie, ô combien intimidante pour une paysanne réservée qui ne voulait qu'en finir dare-dare avec cette pénible épreuve et envoyer cet argent dans l'Indiana. Et son sourire facile, charmeur, ses tentatives de séduction qu'elle trouvait déplacées et qui la mettaient encore plus mal à l'aise…

— Un caractère enjoué, résuma-t-elle par euphémisme.

Enfin, Russell Weaver estima détenir assez d'indices. Il promit de rappeler dès qu'il aurait du nouveau.

Quelle ne fut pas la surprise de Vicki quand l'appel arriva le jour même, en début d'après-midi.

— Vous n'avez pas déjà une piste ? s'exclama-t-elle.

— Sans problème.

— Comment avez-vous fait, si vite ?

Le détective gloussa.

— J'aimerais vous dire que nous utilisons des procédés d'investigation hyper sophistiqués et ultrasecrets, mais j'ai tout bêtement trouvé votre Jamie Malone sur Internet.

Elle n'en crut pas ses oreilles.

— Vous plaisantez ?

— En fait, j'ai trouvé un certain J.D. Malone. J'ai dû faire quelques recherches complémentaires pour m'assurer qu'il s'agissait bien de notre homme. Vérification faite, tout concorde. Il s'avère que votre ex est un artiste qui vit de ses œuvres dans une petite bourgade de Caroline du Nord.

Un peintre ? Absurde ! Russell Weaver devait réviser sa copie, Vicki n'allait pas le payer cent cinquante dollars de l'heure pour une information erronée. Le Jamie qui persistait à envahir ses pensées depuis la veille ne pouvait être devenu artiste par l'opération du Saint-Esprit.

— Désolée, monsieur Weaver, vous devez confond…

— Nan, nan, interrompit-il avec un claquement de langue. C'est bien le vôtre. Aucune erreur possible.

Il débita sa lecture comme une liste de courses d'épicerie :

— James Dillon Malone, émigré d'Irlande en 1988. Réside un an à Rhode Island avec un contrat de travail. Se transporte en Floride quand son visa arrive à expiration.

Un toussotement introduisit l'élément irréfutable :

— Et là, il semblerait que ses problèmes d'émigration se soient miraculeusement résolus. Malone acquiert son permis de séjour en épousant Mlle Victoria Sorenson en 1990, et il dépose sa demande de naturalisation six mois plus tard.

Un ange passa furtivement pendant que le rouge de l'humiliation montait au visage de Vicki.

— Oui, je suppose que c'est lui, bredouilla-t-elle.

— Vous avez de quoi noter son adresse ?

— Euh… oui.

— C'est succinct : Pintail Point, Bayberry Cove, Caroline du Nord. J'ai consulté une carte, c'est un bled perdu sur la côte, dans les marais de l'extrême nord, à la frontière de la Virginie.

Après l'avoir remercié en le priant d'envoyer sa facture, Vicki raccrocha, le cœur battant, les yeux rivés sur l'adresse qu'elle venait de griffonner sur son bloc-notes.

Bayberry Cove – Crique des Jojobas. Tout un poème !

Ces mots la reconnectaient avec son vrai faux mari de façon totalement inattendue.

Elle ne l'avait rencontré que deux fois, en 1990.

Le jour du mariage où elle l'avait embrassé devant le juge de paix puis, six mois plus tard, au bureau de l'INS où ils avaient si bien réussi leur interrogatoire post-marital que Jamie avait pu déposer sa demande de naturalisation.

Coincés par leurs horaires de travail, ils s'étaient préparés à l'audience par téléphone, échangeant des informations horriblement intimes à des heures indues ; par miracle, ils avaient mémorisé précisément les questions que l'inspecteur avait décidé de leur poser ce jour-là.

Des bribes lui revenaient. Elle se souvenait avoir dit que son mari était un lève-tôt et qu'il dormait en boxer-short. Enfant, il avait eu la varicelle et la rougeole, rien de plus grave. Sa mère vivait en Irlande, mais Jamie espérait la faire venir en Amérique dès qu'il serait naturalisé. Il regardait très peu la télé, sauf les matchs de foot européen, mais les chaînes américaines n'en retransmettaient pas beaucoup. Non, il ne fumait pas, mais il appréciait la Guinness. Il aimait la viande rouge autant que le ragoût, et avait l'habitude de faire un jogging le soir avant sa douche. Non, il n'avait aucune affiliation politique. Et il était athée, mais, si Dieu existait, ça ne le dérangeait pas. Oui, ils faisaient l'amour tous les jours de la semaine...

Vicki en rougissait encore en y repensant. Ce gredin de Jamie ! Sous prétexte qu'il possédait un solide appétit sexuel, il l'avait obligée à dire ça au fonctionnaire de l'INS !

A l'audience, il portait toujours les cheveux longs, avait toujours du tanin sous les ongles et son sourire était toujours aussi fougueux.

Vicki arracha le feuillet de son bloc et le glissa dans son agenda. Elle n'aurait jamais cru pouvoir exhumer autant de détails de sa mémoire à propos d'un homme auquel, pendant treize ans, elle n'avait pensé que comme un ennui potentiel qu'elle devrait régler un jour ou l'autre.

Eh bien, le jour était venu ! songea-t-elle en décrochant le téléphone pour composer le numéro de Louise.

— Quoi de neuf, Vic ? lança gaiement son amie.

— Rédige-moi cette convention de divorce, Loulou. Je fonce à Bayberry Cove, Caroline du Nord.

2.

Le premier accroc dans son plan infaillible pour obtenir un divorce vite fait bien fait survint à l'aéroport de Norfolk, Virginie, où son avion atterrit le mardi à 8 heures du matin.

Une hôtesse annonça tranquillement aux passagers munis d'un billet de retour qu'ils devraient contacter la compagnie afin d'avoir confirmation que leur vol n'était pas annulé pour cause de tempête.

Tempête ? Quelle tempête ?

Vicki se souvint soudain d'avoir entendu parler de la formation d'un orage tropical sur l'Atlantique au bulletin météo du dimanche. Comme on était en octobre, après la saison des cyclones, et que la dépression se situait largement au-dessus de la Floride, elle n'y avait pas prêté vraiment attention. De toute manière, dimanche, elle n'imaginait pas qu'elle irait patauger dans les marais du Nord.

Or, aujourd'hui, elle venait d'atterrir précisément sur la trajectoire de ce duveteux nuage blanc qu'elle avait vu musarder sur l'écran en animation satellite. En deux jours, il avait acquis un mouvement circulaire et un nom : l'ouragan tropical Imogène, et se dirigeait vers la côte, vers un point encore indéterminé, mais quelque part entre la Caroline du Nord et le sud de la Virginie. Ici même. Fabuleux !

26

Les anses de son sac de voyage accrochées sur l'épaule, Vicki se fraya un chemin jusqu'au comptoir de location de voitures. Elle avait retenu une chambre d'hôtel, mais après tout elle avait calculé large en prenant son billet de retour pour le lendemain. Avec un peu de chance, elle pourrait expédier rondement son entrevue avec Jamie et prendre le chemin du retour l'après-midi même en faisant un pied de nez à Imogène. Restons optimistes.

Après une recherche fastidieuse, l'employé de l'agence de location repéra sur une carte la petite bourgade dénommée Bayberry Cove – un trou perdu dans le détroit Currituck Sound, entre le continent et les Outer Banks, les bancs sablonneux de la péninsule.

Le trajet devait prendre à peu près trente minutes à vol d'oiseau mais, par les routes étroites et sinueuses de la région, Vicki roula plus d'une heure avant de voir Bayberry Cove émerger du paysage.

Restait à trouver ce Pintail Point encore plus insaisissable. N'ayant pas de temps à perdre à errer à l'aveuglette, elle s'engagea dans la grand-rue et s'arrêta devant le premier café disposant d'une aire de stationnement. C'était une petite brasserie d'aspect agréable, avec des rideaux froncés aux fenêtres et un nom sympathique, le Kettle, la Bouilloire.

Une pancarte manuscrite accrochée sur la porte lui rappela ses impératifs : *Fermé à midi cause Imogène*.

Vicki entra dans une salle comble. Apparemment, les gens du village s'offraient un copieux petit déjeuner avant la tempête et ne paraissaient pas très inquiets. En fait, pour la plupart, ils étaient concentrés sur des plateaux de jeu individuels, de forme triangulaire, percés d'une douzaine de trous où se fichaient des chevilles en bois qui s'éliminaient l'une l'autre en se déplaçant à saute-mouton.

Se perchant sur le seul tabouret libre à l'extrémité du bar, Vicki put examiner de près le jeu de son voisin sur le comptoir. Les pièces étaient finement sculptées, un joli travail artisanal. Elle se souvint s'être exercée à des solitaires du même genre dans son enfance. De véritables casse-tête ! Une notice les accompagnait, définissant les capacités intellectuelles du joueur en fonction du nombre de chevilles imprenables qui lui restaient à la fin. Celui qui n'en laissait qu'une sur le plateau était un génie. A cinq et plus, un crétin intégral.

Une serveuse aux formes épanouies, au visage avenant casqué de courts cheveux platine, vint vers elle avec un large sourire amical.

— Qu'est-ce que je vous sers, ma belle ?

Son incontestable accent de Virginie du Sud confirmait le nom inscrit sur son badge : Bobbi Lee.

— Un café, s'il vous plaît. Et je voudrais un renseignement, si possible.

— Si vous cherchez quelqu'un, je suis née ici ; personne ne peut vous renseigner mieux que moi, répondit l'accorte Bobbi Lee en déposant devant elle une tasse fumante, un pot de crème en inox et deux sucres enveloppés.

Vicki goûta le café qui lui parut meilleur qu'en Floride, probablement parce qu'ici l'automne charriait un petit air frisquet qui laissait déjà présager l'hiver.

— Savez-vous où se trouve Pintail Point ?

Le sourire de la serveuse s'évanouit, laissant ses lèvres rouge cerise s'affaisser aux commissures. Appuyée de la hanche à son plan de travail, Bobbi Lee la dévisagea d'un tout autre œil.

— Qu'est-ce que vous iriez faire à Pintail Point ? C'est paumé au fin fond des marais. Y a rien à voir, là-bas, sauf les canards sauvages.

— Peut-être, mais… une personne que j'ai connue y habite. Je dois absolument lui parler.

Bobbi Lee tapota du stylo sur son carnet de commandes. Un peu trop fort et un peu trop vite.

— Dans ce cas, vous continuez la grand-rue. A la sortie du bourg, vous tombez sur la route de crête, Sandy Ridge Road. Vous prenez à droite. Environ cinq kilomètres plus loin, vous verrez une sorte de jetée qui mène à Pintail. Faites attention, c'est une chaussée à une voie tracée au milieu des marais, alors assurez-vous que personne n'arrive en face.

Vicki sortit son porte-monnaie.

— J'y veillerai, merci, dit-elle en déposant deux dollars sur le comptoir. Et à propos, peut-être sauriez-vous m'indiquer la maison de Jamie Malone ?

Bobbi Lee émit un ricanement.

— Y a pas de maisons, là-bas. Mais vous ne pourrez pas le rater, il est le seul à y vivre.

Pas de maisons ? Un seul habitant ? Dans quoi habitait-il, alors ? N'osant poser davantage de questions, Vicki termina son café d'une traite et sauta du tabouret.

— Vous savez qu'un ouragan nous arrive dessus ? lui lança Bobbi Lee. La Pointe, c'est pas l'endroit où se trouver.

— Je n'y resterai pas longtemps. Merci encore, répondit Vicki en se hâtant vers la sortie.

Avant qu'elle n'ait atteint la porte, la voix de la serveuse résonna dans son dos à la cantonade :

— Est-ce que quelqu'un peut m'expliquer ce que cette femme peut vouloir à un homme marié ?

Marié ? Jamie s'était remarié ? Cette serveuse ne venait-elle pas de dire : « Il est le seul à y vivre » ? Le seul *homme*… ce qui pouvait aussi bien sous-entendre « avec sa femme ».

Vicki s'engouffra dans sa voiture et resta pétrifiée sur le siège, assommée par cette dernière bribe d'information. Vers quelle sorte de pétrin courait-elle avec Jamie Malone ? Elle s'imaginait embringuée dans un procès pour bigamie avant d'obtenir son divorce ! Il ne lui manquait plus que ça !

Cet évaporé d'Irlandais s'était remarié ! Se pouvait-il que, ne l'ayant jamais considérée comme une véritable épouse, il ne se soit pas soucié de dissoudre un mariage qu'il estimait fictif ? Bon sang ! Elle non plus ne l'avait jamais considéré comme son mari, mais régulariser leur situation avant d'épouser un autre homme tombait sous le sens ! O Seigneur ! quelle galère !

Louise avait raison : ce type ne pouvait lui apporter que des ennuis. D'ailleurs, il suffisait de voir la désinvolture de son sourire... Pour le peu qu'elle connaissait l'énergumène, Vicki aurait dû se douter qu'elle n'avait rien de bon à en attendre.

Elle s'aperçut que Bobbi Lee s'était plantée sur son pas de porte et l'observait. Bizarrement, cette apparition lui rendit un brin d'optimisme. A l'évidence, la serveuse était jalouse. Il se pouvait aussi que Jamie soit son amant et qu'elle ait employé le mot « marié » plutôt que « casé » pour lui lancer un avertissement, voire la dissuader d'y aller.

Vicki tourna la clé de contact. Le ronronnement régulier du moteur la rassura. Si la situation virait à l'aigre, sa petite auto bien entretenue pourrait repartir de Pintail Point sur les chapeaux de roues.

Combattant néanmoins la même envie de faire demi-tour que le jour de son mariage, elle hésita presque à la sortie du parking. Finalement, la raison l'emportant, elle prit la direction de Sandy Ridge Road avec, dans le rétroviseur, Bobbi Lee qui la regardait s'éloigner.

Les premiers signes de l'orage approchant se firent sentir sur la route de crête longeant le littoral. En dépit de la grisaille, le paysage était spectaculaire, mais certainement plus sinistre que sous le soleil. Sur fond d'horizon bouché, les Outer Banks enveloppés de brume ressemblaient à de lointains navires fantômes ballottés sur une mer houleuse.

Le long des criques où l'on imaginait, par beau temps, les pêcheurs qui travaillaient en pestant contre la multitude des bateaux de plaisance, les chalutiers tristounets dodelinaient à l'amarre et les barques gisaient sur le sable. Les eaux protégées des marais n'étalaient qu'une désolation sauvage et désertique.

Sur la route pavée, Vicki dut se cramponner au volant pour maintenir son cap contre le vent qui déportait sa petite voiture. Cependant, lorsqu'elle s'engagea sur la jetée que Bobbi Lee lui avait indiquée, elle crut carrément s'envoler.

La chaussée traîtresse n'était qu'un étroit ruban de castine entre deux remblais de rochers, assailli des deux côtés par des vagues furieuses qui s'y fracassaient en vomissant des gerbes d'écume par-dessus bord, laissant le chemin émaillé de cailloux, parsemé de flaques, jonché d'algues glissantes et troué de partout.

A environ sept ou huit cents mètres, une sorte de presqu'île boisée se profilait à travers les embruns. Vicki distinguait vaguement deux constructions basses tapies au milieu d'un bouquet d'arbres. Quel hurluberlu pouvait vivre dans un endroit pareil ?

Mon Dieu, retenez Imogène ! pria-t-elle. Faites que Jamie ne soit pas remarié, qu'il signe mes papiers et que je puisse regagner Norfolk avant que la météo ne m'en empêche...

Même si tous les vols étaient déjà annulés, elle caressait encore l'espoir d'attendre douillettement la fin de la tempête dans sa chambre réservée à l'hôtel Ramada.

Les constructions ne devinrent réellement identifiables que lorsqu'elle arriva dessus, dans l'allée tracée au milieu des taillis secoués par le vent.

Bobbi Lee n'avait pas menti. Il n'y avait pas de maisons à Pintail Point, juste un grand hangar à moitié condamné par des planches, avec une partie du toit en vieille tôle ondulée, et une péniche recyclée en habitation, reliée de plain-pied par une courte passerelle au ponton où elle était amarrée.

La structure habitable, sans étage, était peinte en vert bouteille avec les boiseries en chêne clair. Le pont supérieur formait une terrasse sur un tiers de la toiture. Ajoutées à son toit en bardeaux légèrement pentu, des jardinières aux fenêtres lui donnaient un petit air fantaisiste de chalet de montagne.

Au bout de l'allée, Vicki découvrit sur la gauche un appentis abritant un pick-up bleu métallisé – pas une camionnette de miséreux. Sans s'appesantir sur les finances du propriétaire, elle se gara à côté, prit le classeur en cuir qu'elle avait préparé et sortit dans la bourrasque.

Soudain, alors qu'elle refermait sa portière, une image très nette de Jamie Malone lui emplit l'esprit.

Allait-elle le reconnaître ?

Cet homme lui était aussi étranger aujourd'hui que treize ans plus tôt. A la différence près qu'aujourd'hui, Vicki avait mille raisons d'être encore plus anxieuse. Au mariage, elle savait ce qui l'attendait, le marché était conclu d'avance. Tandis que là…

Prenant une profonde inspiration, elle remonta le col de sa veste, serra les doigts sur son classeur et se dirigea hardiment vers la péniche.

Fouettée par le vent, ses mèches détachées de leur clip en écaille lui cinglant la joue, elle crut incarner l'héroïne d'un roman médiéval. Tout y était : l'isolement des lieux, la tempête, les nuages menaçants et le maître de céans, l'énigmatique Irlandais.

— Monsieur Malone ? appela-t-elle du seuil de la passerelle.

Sa voix lui parut être emportée par le vent ; elle recommença, plus fort :

— Hé ho ! Monsieur Malone, vous êtes là ?

Elle entendit des *clac, clac, clac,* dont elle ne put identifier la nature ni la provenance. Elle réitéra son appel.

— J'arrive ! lança une voix d'homme – *clac, clac, clac.* Ça souffle, là-haut ! Faut que je finisse – *clac, clac* – avant que le diable m'emporte sur le continent !

Là-haut ? Ecartant les cheveux de ses yeux, Vicki loucha vers la toiture d'où semblait émaner la voix – celle de Jamie. Son accent s'était passablement dégrossi, mais les inflexions harmonieuses et cadencées ne trompaient pas.

Et *clac, clac, clac, clac* – bing. Un juron.

Enfin un visage apparut par-dessus le faîtage et un regard perplexe la décortiqua de la tête aux pieds.

— Je ne peux pas imaginer ce qui vous amène ici par un temps pareil, mais, puisque vous y êtes, voulez-vous me lancer une boîte d'agrafes ?

Vicki suivit la trajectoire que pointait son index. Une caisse à outils en métal rouge se détachait sur une longue table de pique-nique en bois, installée au milieu des cèdres. Elle s'y rendit et posa son classeur à côté.

Au moment où elle soulevait le loquet de la caisse, un énorme reniflement monta du sol et quelque chose bougea à ses pieds. Elle bondit en arrière en poussant un cri. Puis elle se pencha, méfiante, pour regarder sous la table.

Un étrange tas de poils gris moucheté sortit de dessous, pour voir lui aussi. Entre deux oreilles tombantes, une paire de petits yeux d'ambre posés en tréma sur un long museau grisâtre la fixa avec une curiosité éhontée.

— Grand Dieu ! s'écria-t-elle. Est-ce qu'il mord ?

La réponse descendit du toit.

— Beasley ? Eventuellement un moucheron qui passe, mais encore faut-il qu'il vole bas et pas trop vite.

Vicki détacha son attention du gros chien indescriptible et la reporta sur Jamie Malone.

— Les agrafes, lui rappela-t-il. Une boîte bleue.

Apparemment, il ne l'avait pas reconnue.

Elle, elle l'aurait reconnu n'importe où, bien que la maturité ait complètement métamorphosé le visage émacié du garçon qu'elle avait épousé. L'ombre d'une barbe du matin conférait à ses traits une sorte de nonchalance qui lui ressemblait tout à fait. Quant à cette espièglerie dans l'œil, si caractéristique, elle était reconnaissable même à cette distance et malgré son expression impatiente. Il avait raccourci ses cheveux à hauteur du col de chemise, mais c'était toujours la même crinière cuivrée et, Vicki l'aurait juré, toujours aussi embroussaillée même quand le vent ne s'en mêlait pas. Quant à son sourire – l'incomparable sourire de Jamie Malone – il restait indubitablement le centre solaire de l'ensemble.

Il se rembrunit.

— Je suis là en panne de munitions avec mon plastique, et le ciel me dit que le temps m'est compté.

— Euh… oui.

— Faites le tour, pour me les apporter de l'autre côté du pont ! lança-t-il encore avant que sa tête ne disparaisse.

Vicki fourragea, trouva les agrafes et, obéissante, monta à bord de la péniche. De l'autre côté, Jamie se tenait debout sur l'avant-toit. Elle cligna des paupières.

Où était passé le pauvre immigrant famélique, l'échalas qui n'avait que la peau sur les os ?

C'était un corps splendidement découplé qui se campait sur ces longues jambes écartées à l'aplomb contre le vent, sa chemise de flanelle ouverte flottant comme un étendard vert amande autour d'un T-shirt blanc qui s'étirait sur un torse viril et un vieux jean qui moulait des cuisses musclées…

Il s'accroupit et agita la main comme pour sortir une personne hypnotisée de sa transe.

— Avant que j'aie des cheveux blancs, s'il vous plaît. Lancez de votre mieux, j'attrape au vol !

Vicki jugula un rire nerveux en se rappelant que sa situation n'avait rien de comique, et projeta la boîte de toutes ses forces. L'objet parvint à défier le vent et atterrit dans la paume du destinataire.

— Merci, dit-il en rechargeant l'agrafeuse. J'en ai pour deux minutes et je suis à vous. Je suis curieux de savoir ce qu'il y a de si urgent qui vous rende intrépide au point de braver les avis de tempête.

Là-dessus, il tourna le dos et s'agenouilla à l'endroit où son rapiéçage de toiture était resté en plan. Vicki se demanda pourquoi il se donnait tant de mal : si l'épicentre d'Imogène lui passait dessus, sa péniche n'existerait plus, de toute façon.

— Oui, s'il vous plaît, faites vite, le pressa-t-elle. Je ne vous prendrai qu'une minute ; il faut que je reparte avant que le temps se gâte.

Elle le vit hocher la tête à plusieurs reprises tout en poursuivant ses *clac, clac, clac*. Quand il eut enfin terminé, il se redressa, scruta l'horizon par-dessus le faîtage, puis se retourna en la regardant du haut de son perchoir.

— Trop tard ! dit-il. Vous n'irez plus nulle part aujourd'hui.

Mais qu'est-ce qu'il racontait ? Vicki regarda de tous côtés, cherchant la raison de ce verdict arbitraire. Elle s'aperçut que Pintail Point formait une anse offrant un port naturel, ce qui expliquait pourquoi les eaux de la rade étaient à peine agitées. Au-delà, de gigantesques vagues déferlaient dans le détroit de Currituck. D'accord, mais où était le problème ? Elle n'avait pas l'intention de repartir en pédalo !

— Que voulez-vous dire ?

— La chaussée s'est effondrée par le milieu.

Qu'est-ce que c'était que cette histoire ?

— Ce n'est pas possible !

— Je crains que si. L'eau a envahi un tronçon de cinquante mètres. C'est fréquent, par gros temps. Ça s'asséchera en un jour ou deux… à moins qu'Imogène n'emporte tout, ajouta-t-il en fronçant les sourcils vers le ciel plombé.

Puis il désigna la proue de son embarcation.

— L'échelle est là. Venez constater par vous-même, si vous voulez.

Vicki considéra l'étroit escalier en fer qui rejoignait le pont supérieur en songeant qu'il fallait être complètement fêlé pour grimper sur le toit d'une péniche par un vent à tordre les girouettes.

Elle y grimpa néanmoins, autant pour vérifier par elle-même que pour montrer à Jamie Malone qu'elle ne le croyait pas sur parole.

En arrivant en haut, elle rencontra sa main qui se tendait pour l'aider à gravir la dernière marche. A l'instant où elle leva les yeux sur lui, le visage de Jamie s'illumina comme un soleil qui perce les nuages et l'émeraude de ses prunelles scintilla.

— Par tous les dieux celtes ! Il me semblait bien vous reconnaître, Vicki ! Après toutes ces années, voilà ma sainte femme qui revient vers moi !

Ebahie par cet accueil enthousiaste, Vicki s'efforça de masquer sous un ton sobre l'étrange plaisir qu'elle en ressentait.

— Je suis surprise que vous vous souveniez de moi.

— Un homme n'oublie jamais sa première, Vicki chérie !

Sa première épouse ? Avant la seconde ? se demanda-t-elle.

Il ne lâchait pas sa main et lui souriait avec une familiarité déconcertante. La scène aurait pu appartenir à un rêve, tant elle paraissait surréaliste. Jamie Malone qui la traitait comme s'il l'avait quittée la veille, tous deux échevelés, perchés sur le toit d'une péniche battue par les vents au milieu de nulle part !

— Comment m'avez-vous retrouvé ?

Vicki passa sous silence le détail du détective.

— Sur Internet.

— Oh ! J'ai atteint la cyber-célébrité ? Ou bien est-ce sur la liste INS des individus les plus recherchés ?

Cet humour-là provoqua une petite crispation au creux de l'estomac de Vicki.

— Espérons que non. Ils doivent avoir des criminels plus importants que nous à traquer.

Il rit.

— Quoi qu'il en soit, Vicki, ça fait bigrement plaisir de vous revoir !

Il devait bien se douter qu'elle venait pour le divorce.

— Je suis contente que vous le preniez ainsi, monsieur Malone. Comme je vous l'ai dit, je voudrais…

— « M. Malone » ?

Elle baissa les yeux, gênée. Effectivement, c'était une façon ridicule de s'adresser à son mari.

— Comme je vous l'ai dit, reprit-elle, je voudrais en finir au plus vite. Je dois…

— Quoi ? Vous ne me croyez pas ? Venez voir.

Il l'entraîna à travers le pont jusqu'au bastingage opposé.

— Alors ? Qu'est-ce que vous en pensez ?

Son cœur sombra. La chaussée qu'elle avait empruntée un quart d'heure plus tôt était à moitié engloutie sous un courant tumultueux.

— Ce n'est peut-être pas très profond ? hasarda-t-elle contre tout espoir. Peut-être qu'en partant tout de suite, je pourrais passer de justesse ?

— Avec ce machin rouge, là-bas ? railla-t-il en indiquant sa voiture du menton. Vous seriez entraînée dans les marais comme une bouteille à la mer. Je ne le tenterais même pas avec mon pick-up…

C'était du Jamie Malone tout craché, cette acceptation philosophe des catastrophes !

— Mais je ne peux pas rester…

— Pas le choix. D'ailleurs, regardez.

Il désignait un point sur la droite. A travers le brouillard, avec un effort de concentration, Vicki discerna un véhicule qui s'était arrêté sur Sandy Ridge Road et une silhouette qui s'activait.

— Qui est-ce ?

— L'adjoint Blackwell qui pose un barrage. Maintenant, c'est officiel : la route de crête est bloquée. Luther ne laisse plus personne ni entrer ni sortir des marais.

La silhouette lointaine sembla scruter dans leur direction et dessina des arcs de cercle avec un bras. Jamie lui répondit du même geste. Après quoi, Luther Blackwell, l'adjoint qui venait simplement de sceller le sort de Vicki, remonta dans sa voiture de patrouille, négocia son demi-tour et repartit vers Bayberry Cove se fondre dans la purée de pois.

— Je ne peux pas me permettre de rater mon avion ! gémit-elle, oubliant à moitié que son vol serait probablement annulé.

— Vous ne le raterez peut-être pas. Quand est-ce ?

— Demain midi.

Une soudaine bourrasque apporta deux ou trois grosses gouttes qui s'écrasèrent sur eux. Jamie entraîna avec lui Vicki à toute vitesse en déduisant, fataliste :

— Quoique ça se pourrait. Que vous le manquiez.

Le temps de dévaler l'escalier, il pleuvait des cordes. Ils coururent récupérer l'un son classeur, l'autre sa caisse à outils. Jamie siffla son chien qui attendait, imperturbable, à l'abri sous la table.

Dix secondes plus tard, ils étaient tous trois trempés comme des soupes quand ils s'engouffrèrent dans la péniche.

Poussant Beasley à s'ébrouer vers l'espace cuisine, Jamie débarrassa Vicki de sa veste qu'il accrocha à une patère, et lui tendit une serviette.

Le ciel s'était assombri comme au crépuscule, la pluie crépitait sur les carreaux au-dessus de l'évier, la péniche commençait à tanguer en grinçant contre les butoirs du ponton, et Vicki se trouvait emprisonnée sur une île déserte avec un parfait étranger !

Un original, de toute évidence. Original, ou pire. Que savait-elle de Jamie Malone ? Quel Barbe Bleue pouvait choisir de vivre dans un tel isolement ?

— Voyons ce que disent les infos.

Tout en se frictionnant les cheveux, Vicki enjamba Beasley, qui était maintenant vautré au milieu du passage, et inspecta la partie salon. Un canapé et deux fauteuils en cuir beige encadraient une table ronde composée d'un plateau de verre reposant sur une barre à roue de chalutier dont les garnitures de cuivre étincelaient comme si on les astiquait tous les matins. Cela n'évoquait pas l'intérieur d'un psychopathe.

Mais… que savait-elle au juste des psychopathes ?

Jamie tira sur la chaînette d'une suspension à verre teinté qui transforma la grisaille lugubre en douce lumière ambrée, puis il prit la télécommande et alla allumer le poste – un grand écran, avec vidéo et lecteur DVD. Le nouveau Jamie serait-il devenu un téléspectateur assidu ?

Pendant qu'il cherchait un bulletin météo, Vicki erra dans le coin salle à manger, aussi impeccable que tout le reste, et s'approcha avec curiosité des paysages marins qui ornaient les murs : aucun tableau n'était signé Malone.

— … vitesse rotative de cent cinquante kilomètres à l'heure. Celui-là nous a pris par surprise, les amis ! Imogène est maintenant un ouragan de force 1…

Sa serviette autour du cou, Vicki reporta son attention sur l'écran où un présentateur commentait une image satellite marquée de cercles rouge, jaune, bleu, qui indiquaient les zones plus ou moins menacées.

— Il se déplace à vingt kilomètres à l'heure en direction de la Caroline du Nord. Son aire active touchera la frontière Caroline/Virginie dans la soirée. Le bulletin d'alerte prescrit aux résidents du littoral de se barricader…

— Mon Dieu ! Et nous sommes coincés sur un rafiot au milieu des marécages !

La masse tourbillonnante sur l'écran semblait soudain plus terrifiante que la cohabitation forcée avec un éventuel Barbe Bleue.

— Nous sommes parfaitement en sécurité, dit Jamie en tapotant le mur à sa portée comme on flatte un animal. *Bucket o'Luck* est un rafiot robuste. Elle résistera…

Pour comble, sa péniche s'appelait *Baquet de chance* !

— Elle en a essuyé d'autres en trente-cinq ans.

— Trente-cinq ans ! Cette péniche est si vieille ?

Convaincue que la chance du baquet arrivait à expiration, Vicki se voyait déjà cramponnée à une planche d'épave vert bouteille brinqueballée dans des vagues de six mètres de haut.

— Croyez-moi, assura Jamie, elle traversera cette tempête avec panache. J'aurai sans doute quelques bardeaux à rafistoler après la bagarre, mais elle sait que j'ai toujours pansé ses plaies. Depuis le temps, on a appris à s'entendre, tous les deux.

— Vous en parlez comme d'un être vivant.

Une femme, par exemple, songea-t-elle.

— C'est un peu ça. On est devenus de vieux copains, le *Bucket* et moi.

Bien qu'elle ne décelât aucune touche féminine dans le décor, Vicki voulut en avoir le cœur net.

— Puis-je vous poser une question ?

— Tout ce que vous voulez, Vicki. Pas de secrets entre mari et femme.

— Justement. Etes-vous marié ?

Il partit d'un éclat de rire tonitruant, des plus incongrus sur un sujet aussi sérieux. Elle n'eut toutefois pas l'occasion d'exprimer son indignation, car le téléphone sonna.

Jamie décrocha l'appareil posé sur la desserte à côté du canapé.

— Oui, m'man… Je sais, j'ai écouté CNN… Non, je t'en supplie, ne t'inquiète pas pour moi… hum… hum…

Il s'étala sur le canapé et invita Vicki à s'asseoir, en moulinant du poignet d'un geste typiquement masculin pour signifier qu'il avait affaire à une femme bavarde.

Vicki se détendit un peu. Un homme que sa mère appelait avec inquiétude au premier coup de vent n'avait pas de raisons d'être d'un tueur désaxé, lui semblait-il.

— … Sûr, ça ira… Plein, m'man, j'ai fait les courses de la semaine hier… hum… hum… Oui, je vais poser les volets, dès que tu m'auras libéré du téléphone… Non, je n'ai pas encore eu le temps, j'ai passé la matinée à clouer des planches sur les baies vitrées de l'atelier… Oui, j'espère que la tôle ondulée tiendra…

Regardant Vicki installée dans le fauteuil, il balançait la tête comme un métronome au rythme de la conversation.

— … impossible, m'man, je ne peux plus bouger, Luther a déjà bloqué la route… hum… hum… Oui, c'est à prévoir, je t'appellerai dès que la ligne sera rétablie… Oui, calfeutre-toi bien et ne te fais pas de mouron pour moi.

Enfin, le fils choyé raccrocha.

— C'était ma mère, dit-il inutilement. Elle habite Bayberry Cove. Un des nombreux bienfaits pour lesquels je vous dois une gratitude éternelle.

Vicki écarquilla les yeux.

— A moi ?

— Oui. En m'épousant, vous m'avez permis de faire venir ma mère d'Irlande. J'ai pu lui obtenir un visa, et plus tard un statut de résidente permanente. Tout cela ne m'aurait jamais été possible si je n'avais pas été d'abord naturalisé.

Il se pencha, les coudes sur les genoux, les mains croisées au milieu.

— Alors. Est-ce que cela répond à votre question sur mon état de félicité conjugale ?

— Non, répondit-elle tout net. Etes-vous remarié, Jamie ?

Pendant une seconde, il parut stupéfait.

— Où avez-vous pêché une idée pareille ?

— Une serveuse à qui j'ai demandé mon chemin.

L'amusement revint jouer au coin de ses lèvres.

— Une jolie blonde en forme de sablier, avec autant de place pour le sable en haut qu'en bas ?

Vicki hocha la tête sans sourire.

42

— Elle est merveilleuse, Bobbi Lee, dit-il. Mais elle a un petit défaut : elle s'imagine que chaque détail de ma vie la concerne.

Qu'il n'aille pas essayer de lui faire croire que Bobbi Lee n'était pas concernée ! D'ailleurs, le fait qu'il s'en défende constituait une preuve en soi. Jamie Malone et la serveuse du Kettle partageaient davantage qu'une relation amicale.

— Si Bobbi vous a dit que j'étais marié, elle n'a pas menti. J'ai indéniablement une épouse et, par un miracle que je ne m'explique toujours pas, je l'ai en face de moi pour la première fois depuis treize ans.

— Et depuis treize ans, vous vous définissez comme un homme marié ?

Quelle révoltante ironie que les mâles soient toujours gagnants ! Ce mariage, une épine dans le pied pour elle, avait représenté une commodité pour lui.

— Je le suis, Vicki. C'est la vérité devant Dieu. Et, pour ce que vaut le compliment, vous avez été la compagne idéale. Vous ne m'avez jamais houspillé, je peux laisser traîner mes chaussettes, je ne vous ai jamais entendue récriminer quand je regarde un match à la télé…

Il lui adressa son sourire charmeur. Décidément, Jamie Malone n'avait rien de patibulaire. Un homme flanqué d'un chien indolent, d'une mère attentionnée et d'une vieille péniche qu'il bichonnait amoureusement était peut-être excentrique, mais pas dangereux.

— Bien sûr, ajouta-t-il, je dois reconnaître que le devoir conjugal laisse à désirer…

Pas dangereux, mais un peu démoniaque tout de même…

Les joues en feu, Vicki se revit à l'audience devant le fonctionnaire de l'INS, obligée de raconter qu'ils faisaient l'amour tous les jours. Elle chassa le souvenir en lui substituant l'image de Bobbi Lee avec sa grande bouche souriante, ses yeux lavande, et le tapotement irrité de son stylo.

— Je suis certaine que vous n'avez pas manqué de compensations, dit-elle.

— Un homme doit savoir se débrouiller.

La sonnerie du téléphone lui détourna l'esprit d'une idée très précise sur la façon dont il pouvait « se débrouiller » avec Bobbi Lee.

Quand on parle du loup...

— Salut, Bobbi Lee... Oui, j'ai entendu ça et maman m'a appelé... hum... Allons, tu t'en tireras très bien... Mais non, tu n'es pas seule, avec Charlie et Brian...

Il jeta un coup d'œil à Vicki en grimaçant un sourire.

— ... assure-toi qu'il n'abandonne pas sa bicyclette dans le jardin en rentrant de l'école... hum... hum... Quoi ? Une fille ? Quelle fille serait assez folle pour venir à Pintail aujourd'hui ?

Vicki Sorenson, bien sûr ! Aussi folle de s'être laissé piéger par un ouragan que de tendre l'oreille à une conversation entre son mari et sa maîtresse.

— ... Ecoute, Bobbi, il faut que j'aille poser mes volets... Oh ! pas ce soir, ma ligne sera certainement coupée, mais dès que possible, d'accord... Oui, à bientôt.

Il raccrocha et se recala sur le canapé.

— Elle venait à la pêche pour savoir si vous étiez là, qui vous êtes, et ce que vous me voulez.

— Pourquoi ne lui avez-vous pas dit ?

Il eut un haussement d'épaules.

— Parce qu'elle va être enfermée avec ses deux gamins, et qu'au lieu de se détendre elle aurait ruminé là-dessus. En plus, elle ne m'a pas posé explicitement la question.

— Si elle vous l'avait demandé, vous lui auriez dit que j'étais l'autre moitié de votre mariage si parfait ?

44

— Que vous êtes mon épouse légitime, oui. Mais je ne pense pas pouvoir faire croire beaucoup plus que ça à mon entourage.

— Ce mariage a vraiment été une aubaine pour vous, monsieur Malone. Je comprends mieux votre gratitude à mon égard, vu les avantages que vous en avez tirés.

Ses paupières s'étrécirent légèrement.

— Lesquels, par exemple ?

— Protéger votre liberté. Ne pas vous engager dans une relation. Un homme déjà pris ne peut pas se donner ailleurs, n'est-ce pas ?

Il la dévisagea sans la démentir et Vicki apprécia la franchise de l'aveu contenu dans son silence.

— De toutes ces questions, Vicki, il y en a une à laquelle je ne saurais répondre. C'est *pourquoi* vous êtes venue ici aujourd'hui.

— Parce que, répondit-elle en allant prendre son classeur sur le plan de travail de la cuisine, j'ai toujours considéré ce mariage sous une perspective quelque peu différente. A mon avis, il est temps de vous relâcher dans la jungle, monsieur Malone. Libre et sans chaînes.

Elle défit la languette, sortit un exemplaire du contrat et le lui mit dans les mains.

— C'est notre convention de divorce. Je suis venue vous la faire signer.

3.

Jamie contempla d'un regard absent les noms d'avocats gravés en relief sur l'élégante couverture cartonnée jaune paille : « Oppenheimer, Strauss & Baker ». Son esprit restait focalisé sur l'analyse finaude que Vicki venait de lui servir. Il y avait beaucoup de vrai dans son accusation, et Bobbi Lee était certainement l'une des premières à croire qu'il utilisait son statut d'homme marié comme paravent.

En réalité, il n'avait pas rencontré de femme qu'il aurait eu envie d'épouser. Cela dit, il ne s'était jamais non plus considéré comme un candidat au mariage. Vicki avait été l'épouse idéale surtout parce qu'elle l'avait dispensé de tester ses propres aptitudes en tant qu'époux idéal.

Avec Frank Malone – Dieu ait son âme ! – comme modèle dans le rôle, Jamie n'avait jamais pensé que le mariage serait nécessaire à son bonheur.

Il ne se souvenait pas que sa mère ait versé une larme à l'enterrement. Peut-être soignait-elle encore quelques ecchymoses récentes qui lui conservaient les yeux secs. Atteint d'un cancer du poumon, même à la fin de sa vie, Frank Malone ne s'était jamais trouvé trop affaibli par la maladie pour rappeler à sa famille qui était le maître à la maison.

Résultat, ses trois fils étaient célibataires – Jamie compris, en quelque sorte. Frank Junior et Cormac le resteraient encore au moins pendant cinq ans, jusqu'à ce qu'ils sortent de prison. A ce moment-là, la femme qui consentirait à épouser un des Malone hors-la-loi devrait être une coriace. Frank Junior était une copie conforme du père et les années d'incarcération n'avaient pas dû attendrir le cœur de Cormac non plus...

— Eh bien, vous ne lisez pas ?

La voix de Vicki transperça sa rêverie.

Elle se tenait debout, les doigts crispés sur le dossier du fauteuil comme si elle avait cessé de respirer depuis qu'elle lui avait remis ses papiers. Que craignait-elle ? Qu'il pique une crise parce que le jour fatal était arrivé ?

C'était sa visite au milieu d'un cyclone qui le surprenait, pas le divorce. D'un point de vue purement pratique, ils auraient dû régler la question depuis longtemps et Jamie avait presque l'impression de lui devoir des excuses pour avoir laissé traîner la situation.

D'autant qu'il avait toujours suivi sa trace, par l'intermédiaire de l'agence Raleigh, afin de savoir où la contacter en cas de besoin. Il avait été informé de son démarrage dans la brocante et, au dernier rapport, du fait qu'elle louait une boutique de luxe dans un quartier rupin de Fort Lauderdale. Victoria Karin Sorenson, la petite fermière de l'Indiana, avait fait son chemin.

Il feuilleta quelques pages puis reposa le document sur la table et se renfonça sur le canapé en croisant une jambe, la cheville sur son genou.

— Ça m'a l'air d'être beaucoup de jargon juridique.

— Oh non ! assura-t-elle précipitamment. C'est une convention de consentement mutuel des plus simples. Elle vous paraît peut-être un peu longue parce que tous les points sont détaillés de manière à ce que vous n'y trouviez rien à contester.

Bien que Vicki ait beaucoup changé, elle lui rappelait à cet instant la jeune personne timide qu'il avait promis d'aimer, d'honorer et de chérir dans un tribunal d'Orlando. Jamie la revoyait, hésitante, arrivant en haut des marches, anxieuse comme l'oisillon dodu qui affronte le sourire menaçant du chat Chester.

Vicki Sorenson avait perdu son côté joufflu et acquis l'étoffe d'une femme d'affaires, svelte, élancée, élégante dans son pantalon noir et sa blouse en soie crème. Belle, même avec ses cheveux humides ébouriffés. Toutefois, sa beauté et sa sophistication ne parvenaient pas à masquer sa nervosité. Il ne devait pas être plus facile de demander le divorce à un parfait étranger que de l'épouser.

Le bout de son mocassin battit sur le tapis.

— Vous ne dites rien ?

Jamie haussa les épaules.

— J'en dirai plus quand je l'aurai lu. Laissez-moi le temps de surmonter le choc de cette brusque rupture de nos treize ans de bonheur conjugal.

— Ah non ! s'indigna-t-elle. Ne me jouez pas cette comédie, Jam…

Elle s'interrompit et il s'engouffra dans la brèche.

— Pas de problème, vous pouvez m'appeler Jamie. Les couples sur le point de divorcer s'appellent très souvent par leurs prénoms.

Le fusillant du regard, elle attrapa le stylo enchaîné à côté du téléphone et le lui tendit afin d'accélérer les choses.

— Je ne plaisante pas, Jamie. J'ai besoin de votre signature sur ces papiers.

Au même moment, une bourrasque fit osciller la péniche et projeta quelque chose contre une fenêtre.

Elle s'immobilisa, transie.

— Seigneur… ça prend mauvaise tournure, non ?

— On dirait. Si je ne pose pas rapidement mes volets, un carreau va finir par voler en éclats et il ne restera plus un seul feuillet sec dans votre contrat.

— Alors allez-y, faites ce que vous avez à faire. Il semblerait que je ne sois plus à la minute près…

Pendant que Jamie se levait pour descendre à la cale, Vicki commença à tournicoter sur place, les bras serrés autour de son thorax. Beasley suivait ses mouvements des yeux avec une attention inhabituelle. Tous les chiens, même ceux qui, comme lui, ne paraissaient pas s'intéresser à grand-chose dans la vie, pouvaient sentir la peur. Jamie la sentit aussi.

Il ouvrit la trappe au fond de la cuisine et se retourna avant de descendre.

— Ne soyez pas inquiète, Vicki. Currituck est protégé par une barrière d'îles. De plus, ici, nous sommes doublement abrités dans une crique. Je vous l'ai dit, le *Bucket* et moi avons surmonté des coups de Trafalgar pires que celui-là. Vous verrez, nous survivrons. Indemnes.

Lorsqu'il remonta avec sa brassée de panneaux, elle avait remis sa veste et torsadé ses cheveux dans une pince.

— Vous avez un chapeau, ou quelque chose ?

— Pour quoi faire ?

Les lèvres crispées de Vicki ébauchèrent une tentative de sourire.

— Vous avez besoin d'aide, je vous accompagne.

L'offre fit d'autant plus plaisir à Jamie qu'il ne s'y attendait pas. Il alla dans le débarras prendre sa canadienne pour lui, son chapeau de pêcheur, son ciré et ses galoches de caoutchouc pour elle.

— C'est un peu grand, mais ça protégera vos jolis mocassins. Et merci, votre aide me sera précieuse.

Il redescendit ensuite chercher ses deux autres piles de volets et fut content que Vicki ait proposé ses services, ne serait-ce que pour lui tenir la porte que le vent semblait vouloir arracher de ses gonds.

Dieu merci, cet homme possédait assez de confiance pour deux. Vicki n'était peut-être pas persuadée que sa péniche était indestructible, mais du moins Jamie avait-il réussi à la convaincre que lui-même y croyait dur comme fer, ce qui était quand même un tantinet rassurant.

Elle n'osait pas penser à ce qu'Imogène leur réservait. La pluie frappait déjà comme un rideau de mitraille et le vent charriait des brindilles comme des balles traçantes. L'avant-toit n'offrait qu'une piètre protection aux géraniums dont quelques têtes pendaient déjà lamentablement.

Heureusement, les volets métalliques étaient trop lourds pour s'envoler, mais, chaque fois que Jamie en prenait un sur la pile, une rafale le lui disputait avec un bruitage semblable au tonnerre dans un film d'épouvante.

Vicki aidait à les positionner ; des trous aux angles correspondaient à des tiges filetées qui dépassaient des parois autour des fenêtres. Puis elle maintenait les panneaux en appui sur le rebord devant les jardinières pendant que Jamie vissait les écrous papillons qu'il sortait de sa poche.

— Ça va ? lui hurlait-il de temps à autre.

Elle opinait en hochant la tête. Les brides de son chapeau à demi tombé lui cisaillaient le cou et l'eau dégoulinait à l'intérieur du ciré, mais ils travaillaient de concert dans une parfaite entente, leurs gestes coordonnés comme s'ils posaient ensemble des volets de péniche sous la tempête tous les jours.

— Alors, Vicki ? Pourquoi maintenant ? cria-t-il lorsqu'ils passèrent du côté amarré au ponton, un tout petit peu moins exposé aux fureurs du large.

Les paumes appuyées à plat sur le métal, Vicki s'essuya la joue sur la manche de son ciré ruisselant.

— Pourquoi quoi ?

— Le divorce ! répondit-il aussi naturellement que s'ils bavardaient devant un verre dans un night-club en criant à cause de la musique. Pourquoi aujourd'hui ?

Comment, au mépris des vents rugissants et de la pluie battante, cet homme parvenait-il à se concentrer sur sa tâche tout en entretenant une conversation ?

Ils passèrent à la fenêtre suivante.

— Il était temps, vous ne croyez pas ? rétorqua-t-elle.

— Aucun doute là-dessus. Mais je m'interrogeais.

Ensuite, ils poursuivirent leur labeur en silence jusqu'à la dernière fenêtre. Alors que la bourrasque tourbillonnante revenait les assaillir par la poupe, Jamie reprit :

— Vous laissez passer treize ans et, aujourd'hui, c'est urgent. Il doit bien y avoir une raison.

Vicki hésita mais, à la réflexion, ne vit pas la nécessité d'en faire un secret.

— Je vais me marier !

Elle s'entendit ajouter :

— Enfin, je crois.

Pourquoi avait-elle dit ça ?

Jamie resserra les derniers écrous avec la pince, puis il lui attrapa le coude.

— Terminé ! Rentrons au sec.

En poussant la porte, Vicki fut saisie par la densité des ténèbres. Pas la moindre lueur de jour, aussi grise soit-elle, ne filtrait plus par les fenêtres masquées. La suspension éclairait à peu près autant qu'une luciole égarée dans des catacombes. Des catacombes qui tanguaient, par-dessus le marché !

Elle en eut un frisson de claustrophobie.

— J'ai l'impression d'être Jonas dans le ventre de la baleine, murmura-t-elle.

Jamie alluma avec un petit rire.

— Le noir absolu me surprend toujours, quand je dois poser ces volets. Dans quelques minutes, vous y serez habituée… quoique d'ici là, glissa-t-il avec un sourire en coin, nous n'aurons probablement plus d'électricité.

— J'espère que vous avez des lumières d'appoint ?

— Il y a un éclairage autonome dans toutes les pièces. On apprend à devenir prévoyant, quand on réside à Pintail Point.

Il disparut par une porte du fond et revint avec une grande serviette de bain. Vicki l'accepta de bon cœur. Son chemisier en soie, trempé par la pluie qui s'était infiltrée sous son ciré, lui collait au corps comme une seconde peau.

Pendant qu'elle s'épongeait les cheveux, la diffusion d'un bulletin météo relégua au second plan l'humidité de ses vêtements. Elle rejoignit Jamie devant la télévision.

— L'activité orageuse a faibli, ce qui a permis au tourbillon de rassembler ses forces, dit le présentateur. La masse tourbillonnaire s'étend maintenant sur soixante kilomètres. Son intensité maximale devrait aborder cette zone…

Un triangle rouge sur le graphique se promenait le long de la côte extrême nord de la Caroline du Nord.

— … vers 19 heures. D'ici là, Imogène pourrait avoir atteint une puissance de catégorie 2.

Observant Jamie, Vicki s'aperçut que son profil, d'ordinaire placide, s'était contracté. L'angoisse.

— Vous craignez le pire, n'est-ce pas ?

Il la regarda.

— Non, pas pour la péniche. C'est pour la remise, que je m'inquiète…

S'il ne s'agissait que de sa remise, Vicki pouvait respirer.

— Bon, coupa-t-il, ça ne sert à rien de rester cloués là comme des rats mouillés. Et affamés, du moins en ce qui me concerne !

Elle resserra la serviette drapée autour de ses épaules.

— Il faudrait que je me change.

Jamie balança un pouce vers son classeur sur la table basse.

— Vous avez pris une chemise pour vous, là-dedans, avec votre chemise de divorce ?

— Oh non ! s'exclama-t-elle en se souvenant soudain de tout ce qu'elle avait laissé dans sa voiture.

Pas seulement son bagage, mais son sac à main, avec son téléphone portable dont la batterie se déchargeait. Graham !

— Il faut que je sorte, lâcha-t-elle en se précipitant pour remettre le ciré qui s'égouttait dans la cuisine.

— Je ne crois pas que ce soit une très bonne idée, dit tranquillement Jamie en la laissant toutefois faire.

A l'instant où elle tourna la poignée de la porte, Vicki crut avoir le bras arraché. Une bourrasque titanesque l'aspergea de la tête aux pieds et elle dut combattre le vent corps à corps pour réussir à refermer.

En gloussant, Jamie lui indiqua la porte du fond.

— Par là. Deuxième tiroir de la commode, sweat-shirts et joggings. Rien de très raffiné, désolé.

— Merci, je m'en contenterai.

— Vous aimez le ragoût ?

— J'adore.

Un sympathique bruit de portes de placards, d'ustensiles et de marmite posée sur la cuisinière la poursuivit pendant qu'elle traversait la salle à manger. La voix de Jamie la rattrapa alors qu'elle entrait dans sa chambre.

— C'est quelqu'un que je connais ?

Vicki se retourna, éberluée.

— Qui ça ?

— L'incertain fiancé.

Il avait donc bien entendu son mot de trop...

Songeant à la seule relation qu'ils aient eue en commun, Vicki répondit avec une incrédulité amusée.

— Non, ce n'est pas Kenny Corcoran.

Il sourit.

— Je n'y aurais même pas songé... Non, je voulais dire que le monde est petit ; parfois d'étranges coïncidences peuvent se produire.

— Je doute que vous le connaissiez, déclara-t-elle avant de s'enfermer.

Traversant la chambre, elle prit les vêtements dont elle avait besoin dans le tiroir qu'il lui avait indiqué et alla se déshabiller dans la salle de bains. Selon la configuration des lieux, la pièce se trouvait attenante à la cuisine. Deux minutes plus tard, la voix de Jamie lui parvint à travers la paroi.

— La vie réserve parfois d'étranges surprises... Prenez ce matin, par exemple. Beasley et moi, on s'est réveillés comme d'habitude, on a dégusté nos œufs au bacon, et on est sortis faire notre petit tour en prévoyant de passer un après-midi tranquille à pêcher des crabes bleus. Et nous voilà avec un cyclone sur le dos et une revenante... ma divine épouse perdue de vue, qui enfile mes caleçons dans la pièce à côté. Si ça, ça vous en bouche pas un coin !

Vicki aurait eu du mal à le contredire. Au décollage de Fort Lauderdale, ce matin, elle était loin d'imaginer qu'en début

54

d'après-midi elle se retrouverait sur la péniche oscillante de Jamie Malone, à se contempler dans le miroir de sa salle de bains, affublée d'un sweat-shirt avec une publicité de bière irlandaise sur la poitrine et d'un pantalon de survêtement grenat dont elle avait dû replier deux fois le bas.

Si Graham savait ça...

— Mon Dieu ! Graham ! murmura-t-elle à son reflet au-dessus du lavabo.

Graham, qui rentrait d'Amsterdam ce matin... déjà qu'il n'avait pas été ravi quand elle lui avait annoncé qu'au lieu de venir l'attendre à son arrivée, elle s'envolait pour la Virginie assister à une vente aux enchères ! Il avait exigé qu'elle soit rentrée demain. O Seigneur ! Il devait se ronger les sangs, avec cet ouragan...

Vicki se regarda droit dans les yeux.

— Tu lui as menti ; tu le payes.

Avant que la culpabilité ne l'étouffe, elle retraversa la chambre et rejoignit Jamie.

— Il faut que je téléphone.

Il leva les yeux du faitout fumant qu'il remuait avec une spatule et lui indiqua l'appareil.

— Je vous en prie.

Vicki composa le numéro en lui tournant le dos. Graham décrocha à la première sonnerie.

— Graham Townsend.

— Bonjour, c'est moi...

— Victoria ! Mais où es-tu ? J'essaye de te joindre depuis des heures ! Je t'ai laissé trois messages !

— Oui, désolée. J'ai oublié mon portable dans la voiture avec la batterie à plat, et je ne peux plus sortir. Il fait un temps abominable, ici...

Graham l'interrompit, mais elle fut distraite par Jamie qui, sous prétexte de dresser la table, apparut dans son champ visuel avec un grand sourire.

Soudain, la voix dans son oreille s'arrêta net.

— Excuse-moi, Graham, il y a du frichti, euh... de la friture sur la ligne, je n'ai rien entendu.

— Je disais, répéta-t-il d'un ton irrité, qu'avec les meubles que je t'exporte de Hollande, tu n'as pas besoin d'aller courir en Virginie acheter Dieu sait quoi ! Avec mes antiquités en magasin, ta boutique sera la coqueluche du boulevard.

— Je sais, Graham, mais...

— Ecoute, Victoria. Nous avons des choses à régler, j'ai besoin de toi ici !

— Pour les questions administratives, tu peux te reposer sur Hazel, Graham. Elle est au courant de tout aussi bien que moi.

Hazel et Marcia Huggins, mère et fille, ses employées depuis cinq ans dans son ancienne brocante, s'étaient lancées avec enthousiasme dans sa nouvelle aventure. A court terme, Vicki envisageait de promouvoir Hazel au statut d'associée. Elle lui faisait une totale confiance.

— Je me moque de ta collaboratrice, c'est de toi dont j'ai besoin ! J'ai des formulaires de douane à te faire signer, c'est urgent. Tu rentres immédiatement.

— Mais Graham, je ne peux pas ! gémit-elle piteusement. Tu n'as pas regardé les infos ? On a un ouragan, ici. Tous les aéroports sont bloqués.

A nouveau, elle manqua les trois quarts de la réponse car elle croisa le regard de Jamie, qui agita les doigts en petit signe de salut.

— ... enfin, Victoria, où es-tu ?

— Comment ça, où je suis ? bredouilla-t-elle. Je… je ne t'ai pas dit ? Je… j'ai réservé au Ramada, à Norfolk…

La formulation lui parut assez imprécise pour ne pas réellement mériter le nom de mensonge.

Graham exhala un énorme soupir.

— Admettons que tu me l'aies dit, concéda-t-il avec un ostensible étalage de patience.

Vicki l'imaginait dans son fauteuil pivotant, tourné vers la baie panoramique de son bureau directorial, au vingtième étage de son building de Miami avec vue sur l'océan. En général, un paysage aussi spectaculaire apaisait les nerfs, or, elle n'était pas certaine que ce soit efficace sur lui.

— Je rentre dès que les vols seront rétablis, promit-elle.

Il soupira encore, plus aimablement cette fois.

— Bien sûr, chérie. Pardonne-moi, je suis un peu à cran, aujourd'hui. L'essentiel, c'est que tu sois à l'abri. Tu vas bien, n'est-ce pas ?

— Oui…

La péniche choisit ce moment précis pour heurter le ponton et rebondir contre les butoirs.

Vicki se cramponna au dossier du canapé.

— … je suis dans un endroit parfaitement sûr.

— Bon, conclut alors Graham. Je te rappellerai plus tard.

— Euh… c'est que… je n'ai pas le numéro sous la main…

— Il s'est inscrit en mémoire sur mon portable, voyons, où as-tu la tête ?

Vicki détesta soudain la technologie.

— Tu… vas me rappeler ici ?

— Bien sûr, Victoria. Pas sur la lune !

— Non, je voulais dire, euh… je suis désolée, mais avec ce vent angoissant, j'avais l'intention de dormir. Je préférerais te rappeler, moi.

La lumière des lampes vacilla, une fois, deux fois et, à la troisième fois, Vicki fut plongée dans le noir le plus noir qu'elle ait jamais vu. Un hurlement lui échappa.

— Victoria, que se passe-t-il ? Tu as crié ?

Aussitôt, une lanterne fluorescente cisela les traits de Jamie dans les ténèbres. Vicki reprit son souffle.

— Non, ce n'est rien… un papillon de nuit qui m'a frôlée. Je crois que j'ai besoin de dormir, Graham, il faut que je te laisse.

Elle raccrocha, incapable de dire : « Je t'embrasse », et s'affala sur le canapé. Jamie alluma de grosses bougies rondes qui répandaient une odeur agréable – une fragrance résinée rappelant l'atmosphère de Noël dans les rues de Maple Grove, en Indiana.

Hélas ! le parfum ne parvint pas à la relaxer.

Jamie venait de l'entendre débiter un tissu de mensonges à l'homme qu'elle envisageait d'épouser. Pour quelle sorte d'arracheuse de dents allait-il la prendre ? Et pourquoi l'opinion de Jamie Malone lui importait-elle à ce point ? Après tout, leur mariage aussi était basé sur la duperie.

Il déposa peu après deux assiettes pleines sur les sets de table.

— Vicki ? Vous récupérez de vos frayeurs ? Je vous avais prévenue que l'électricité allait nous lâcher. Vous n'avez rien de plus grave à craindre, je vous assure.

— Non, ce n'est pas ça… Excusez-moi, je n'ai plus très faim.

Il tira une chaise.

— Venez vous asseoir, madame. Personne ne peut résister au ragoût de Jamie Malone.

Mêlé à la douce senteur des bougies, le ragoût exhalait un fumet délicieux. Vicki se dit que, maintenant que l'électricité était coupée, ce serait probablement son dernier repas chaud avant… longtemps. Un jour ? Deux ? Avant que l'électricité revienne ou que la chaussée soit réparée ? Dans quelle galère s'était-elle fourrée ?

— Vous n'avez pas non plus à craindre que votre incertain fiancé vous rappelle, ajouta Jamie en indiquant le téléphone du doigt. C'est toujours la deuxième chose qui lâche.

Vicki alla s'asseoir. Jamie prit place en face et souleva le pichet posé entre eux.

— Du lait ?

— Oui, merci.

Il la servit en souriant.

— Bon appétit, Vicki.

Elle goûta du bout des lèvres ; le ragoût était délicieux, mais son estomac restait serré. Soudain, en regardant Jamie Malone dévorer avec tout l'appétit qui lui manquait, Vicki comprit ce qui la perturbait tant.

Je mens à l'homme que je veux épouser, se dit-elle. Et à lui, ce mari inconnu que je ne reverrai plus dès qu'il m'aura signé le divorce, je lui dis toute la vérité quand rien ne m'y oblige !

L'ironie de cette révélation la frappa avec autant de violence que le *bang* qui retentit au-dessus de sa tête et racla le toit sur toute sa longueur.

4.

Vicki sursauta si fort qu'elle faillit tomber de sa chaise puis regarda le plafond, les nerfs à vif.

— Qu'est-ce que c'était ?

Jamie leva les yeux avant de boire son lait.

— Une branche de liquidambar, je suppose.

— Un arbre entier, vous voulez dire ?

Il eut un petit sourire en coin.

— Non, j'ai dit une branche, Vicki. Si c'était un arbre, j'aurais identifié précisément son espèce, parce qu'il serait passé au travers. Je présume que c'est du liquidambar parce qu'il a frappé là, et terminé sa trajectoire là.

Il dessina de son doigt la diagonale de la proue à la poupe.

— J'ai quelques liquidambars de ce côté ; l'un d'eux doit être méchamment amputé.

Vicki enfonça ses ongles dans ses paumes.

— C'est tellement frustrant d'être enfermés là-dedans sans savoir ce qui se passe dehors...

Une main en pavillon autour de son oreille, Jamie feignit d'épier les bruits terrifiants qui cernaient leur antre.

— Je crois que nous pouvons aisément le deviner. Mais il y a toujours la porte, vous pouvez jeter un coup d'œil, si vous voulez...

60

— Non, merci. J'ai déjà donné, souvenez-vous.

En riant, il se pencha pour tapoter son poing crispé.

— Ecoutez, Vicki. Si vous devez faire des bonds de deux mètres à chaque bruit, il vaudrait mieux que je vous ligote, parce que, durant les prochaines heures, le fracas ne va faire qu'empirer.

Il avait raison.

Vicki inspira profondément, reprit sa fourchette et repiqua au savoureux ragoût.

Elle venait d'avaler sa bouchée quand des coups sourds montèrent de la cale, faisant vibrer le parquet sous la table comme si un marteau attaquait la coque.

Jamie ne broncha pas. Tâchant de se dominer, Vicki riva ses yeux aux siens en quête d'une explication.

— C'est Beasley qui se gratte l'oreille. Un bruit fréquent, même quand il n'y a pas d'orage.

— Oh !

Elle regarda sous la table. Le chien était couché à ses pieds ; elle se pencha pour lui caresser le crâne, s'attendant à toucher des bouclettes de fourrure soyeuse. La nature ne lui avait même pas accordé ça : son poil était rêche comme des soies de sanglier ! Toutefois, Beasley avait dû recevoir en compensation des qualités de cœur, car il la contemplait avec un petit quelque chose d'idolâtre dans ses billes d'ambre trop rapprochées.

— La tempête n'a pas l'air de t'émouvoir, toi, lui dit-elle. Je devrais prendre exemple, hein ?

Sur ces entrefaites, elle se raidit quand un mugissement métallique se fit entendre derrière son épaule, puis elle poursuivit la conversation en guise de dérivatif :

— Quelle race de chien est-ce ?

Jamie sauça son assiette avec un gros morceau de pain.

— Pas la moindre idée. Il errait sur la jetée, il y a trois ans. J'ai mis des annonces, mais personne ne l'a réclamé. Je ne sais ni d'où il vient, ni pourquoi il a décidé de rester, mais il est resté. Je ne l'ai jamais questionné sur ses origines douteuses. Pourquoi mettre un être dans l'embarras pour une infortune dont il n'est pas responsable ?

Vicki fut traversée par une image de ses parents : sa mère souillon, avec ses tabliers graisseux qui symbolisaient sa négligence et son désintérêt généralisés ; son père indolent, se plaignant sans cesse d'avoir mal quelque part, avachi dans son fauteuil inclinable tout râpé devant sa vieille télévision et imputant aux impôts son incapacité à en acheter une neuve. Nils Sorenson n'avait jamais envisagé qu'il pourrait s'offrir un beau poste s'il mettait autant d'énergie à travailler qu'à se chercher des excuses pour tirer au flanc.

Ils étaient néanmoins ses parents et, à son grand regret, il était impensable que Graham Townsend les accepte à leur mariage.

Vicki aimait la philosophie de Jamie Malone. Personne ne choisissait ses origines, en effet. Le souvenir du jeune immigrant squelettique témoignait qu'il avait souffert autant qu'elle, du moins sur le plan de la pauvreté. Peut-être avait-il eu la chance d'avoir des parents affectueux qui lui prodiguaient un soutien moral, sinon financier. Vicki le lui souhaitait.

Elle se surprit à éponger délicatement sa sauce avec un morceau de pain, elle aussi. Finalement, sans s'en apercevoir, elle avait englouti jusqu'à la dernière miette de son ragoût.

Jamie ramassa leurs assiettes.

— En fait, l'histoire de Beasley est assez typique de la vie à Pintail Point, reprit-il.

Vicki le suivit dans la cuisine avec leurs verres et le pichet de lait.

— Comment ça ?

— Jour après jour, je ne peux jamais prévoir qui va apparaître sur cette route, ni combien de temps ils vont rester.

En ce qui la concernait, Vicki ne savait pas exactement combien de temps elle allait rester, mais le moins possible, c'était sûr. Même s'il fallait pour cela appeler un taxi au croisement de Sandy Ridge Road et traverser la chaussée avec de l'eau jusqu'aux hanches, elle entendait bien filer à l'aéroport avec ses papiers de divorce dûment signés sous le bras dès qu'Imogène serait passé. Elle s'arrangerait avec la compagnie de location pour faire reprendre la voiture. Avec un peu de chance, elle serait rentrée à Fort Lauderdale avant que Graham ne se fâche tout rouge.

Ils firent la vaisselle ensemble en utilisant le moins d'eau chaude possible de façon à économiser le réservoir pour leurs douches. Vicki dut reconnaître que, puisqu'elle était venue se jeter dans un ouragan, elle aurait pu s'y retrouver en moins bonne compagnie. Jamie Malone produisait certainement un effet apaisant dans ce cauchemar météorologique.

Lorsque tout fut rangé, il alla décrocher le téléphone, porta le combiné à son oreille et jeta à Vicki un regard signifiant : « Je vous l'avais dit ».

— Futur mari n° 2 ne pourra plus vous joindre de sitôt.

Sa bonne nouvelle n'en était pas une. Si Graham tentait de la joindre sans résultat, il vérifierait par les renseignements le numéro de l'hôtel Ramada. Si les lignes fonctionnaient à Norfolk, il apprendrait que Mlle Sorenson avait bien retenu une chambre mais qu'elle ne s'était pas présentée.

— Vous avez un portable ? demanda-t-elle en se raccrochant à l'ultime espoir.

— Non. J'ai un téléphone de voiture, mais cela impliquerait de s'aventurer dans le bosquet au risque de se faire assommer par un gourdin volant.

— Vous devez bien avoir un ordinateur. Je pourrais peut-être envoyer un e-mail ?

— Là oui, j'ai un portable, que je branche sur... cette ligne.

Il indiqua la prise de téléphone. Vicki grimaça.

— Super.

— Désolé, Vicki, mais pour quelques heures, nous sommes coincés ici comme des pionniers. Et des pionniers qui peuvent s'estimer heureux d'avoir l'eau courante.

Vicki devait se résigner à s'inventer un solide alibi pour expliquer à Graham son absence de l'hôtel. Pendant qu'elle cherchait quelque chose qui soit plausible, Jamie tripota les boutons d'un transistor qu'il avait déposé sur la table basse avec deux de ses grosses bougies odorantes.

Vicki vint se lover dans un coin du canapé.

— Vous m'impressionnez. Vous avez réussi à capter le monde extérieur ?

— Hum. Une station d'Elizabeth City, à une trentaine de kilomètres.

A l'écoute du bulletin météo, son expression s'assombrit notablement. Chaque fois qu'il paraissait s'inquiéter, Vicki recevait ses ondes amplifiées à la puissance dix.

— Vous ne voulez pas me le dire, mais vous n'en menez pas large, nota-t-elle.

Il se mâchouilla le coin de la lèvre. Au-dehors, le vent mugissait en hurlements crescendo et répétitifs qui évoquaient une meute de loups enragés.

— Vous ne me répondez pas ?

— Je vous l'ai déjà dit, nous ne risquons rien ici. C'est le toit de la remise qui me turlupine. Depuis le temps que je me promets de le refaire…

Il parlait sans doute de la partie en tôle ondulée du hangar à quelques mètres de la péniche.

— Qu'entreposez-vous là-dedans qui vous cause tant d'anxiété ?

— Des affaires personnelles. Du matériel, des outils…

— Quel est votre métier, Jamie ?

Il la dévisagea comme s'il réfléchissait à la question.

— Je bricole. Je fabrique des objets en bois. Au Kettle, vous avez dû voir les plateaux de jeu, il y en a au bar et sur toutes les tables.

— Les solitaires ? C'est votre gagne-pain ?

Il sembla hésiter.

— Oui. J'en ai équipé toute la région. Les industries locales collent leur nom dessus, ça leur sert de publicité. Ici, vous en verrez partout, chez les commerçants, au supermarché. D'après ce qu'on m'a dit, il y en aurait même à côté des livres de cantiques sur les bancs de l'église méthodiste.

Vicki réprima un sourire. Ainsi, Jamie Malone fabriquait des jeux de stratégie en bois – un dérivé logique pour un menuisier. Elle avait eu l'occasion d'admirer son travail, du très bel artisanat, mais de là à s'intituler artiste… Il y avait toutefois une candeur émouvante dans la fierté avec laquelle il revendiquait sa contribution à la collectivité locale.

La lumière douce des bougies dansait sur son visage. Ce nouveau Jamie présentait une version plus assurée, plus raffinée, du garçon sans cesse en mouvement qu'il était treize ans plus tôt. Il avait toujours les mains calleuses, et peut-être ne gagnait-il pas beaucoup plus qu'à l'époque, mais le fond de tristesse qu'il dissimulait alors sous des airs primesautiers s'était effacé de ses yeux. Jamie Malone semblait être devenu un homme serein, équilibré, satisfait de sa vie.

Bien qu'il fût toujours un étranger pour elle, il était d'agréable compagnie. Facile à vivre. Confortable, en quelque sorte.

Bien sûr, Vicki ne pourrait jamais épouser un tel homme ni comprendre son manque d'ambition. Elle venait de trop loin, elle avait lutté trop dur pour s'extraire de la misère. Son objectif était d'assurer sa sécurité financière.

Elle avait conscience, dans sa relation avec Graham Townsend, d'avoir été de prime abord attirée par son style de vie – celui auquel elle aspirait : stable, privilégié. Graham lui apportait une solidité ancestrale et Vicki croyait en la réussite de leur mariage.

D'un autre côté, elle enviait Jamie Malone. Pendant qu'elle passait sa vie à se fixer des objectifs et se battre pour les atteindre, Jamie semblait passer la sienne à simplement vivre et accepter chaque jour comme il venait...

— Ça tournicote, là-dedans !

Vocki rassembla ses pensées éparpillées.

— Pardon ?

Jamie dessina des ronds avec son index à hauteur de son front.

— Je vois les rouages... à quoi pensiez-vous ?

A vous. Je vous trouvais beau et reposant.

— Je rêvassais sur les bougies. Je me demandais ce qu'elles sentent.

— Vous aimez ?

Elle hocha la tête.

— Bayberry. C'est du jojoba. Plus communément appelé cirier. Il en pousse à l'état sauvage tout le long de la côte. Il sera bientôt temps de cueillir les baies, d'ailleurs.

Vicki le regarda, médusée.

— Ne me dites pas que vous fabriquez vos bougies vous-même !

Il éclata de rire.

— Moi, non. Mais près d'un tiers de la population active des alentours travaille à la Compagnie cirière de Bayberry Cove. L'industrie remonte à l'époque coloniale. Evidemment, elle s'est modernisée, depuis.

Vicki contempla le doux vacillement des flammes sur leurs socles de cire olivâtre.

— Et je parie que vous savez tout de leur fabrication ?

Jamie déploya ses talents de conteur sans se faire prier. Vicki apprit comment les graines étaient récoltées, puis portées à ébullition, et qu'il en fallait un plein boisseau pour produire un fin cierge. A l'entendre décrire en détail toutes ces opérations alchimiques avec son accent chantant, elle voyait autant de magie que de recette traditionnelle dans chaque chandelle. Si le tiers des habitants de Bayberry fabriquait des bougies, Vicki pouvait imaginer une douzaine de lutins et farfadets mettant la main à la pâte en catimini.

En tout cas, pendant que le vent faisait rage autour du *Baquet de chance*, envoyant des débris s'écraser contre les parois, une chose était sûre : le parfum de forêt des bougies répandait dans la tourmente un bien-être de soirée au feu de bois.

Ce fut meilleur encore quand Jamie ouvrit une bouteille de vin et lui servit un verre.

— Buvez une bonne rasade, Vicki, ça ravigote.

Elle suivit son conseil sans se faire prier. Après quelques gorgées, bercée par le tangage permanent, elle se laissa aller sur le canapé, la tête appuyée contre le dossier. Peut-être parce que Jamie était parvenu à la mettre en confiance, ou peut-être à cause du vin, elle éprouva subitement une vive curiosité pour cet homme qu'elle était venue rayer de sa vie.

— Dites-moi, Jamie… étiez-vous un fugitif évadé de prison ? Désespéré au point d'épouser une étrangère pour éviter l'expulsion ? Et d'abord, où avez-vous trou…

Elle s'interrompit net, honteuse de son indiscrétion. Les effets du vin, incontestablement.

Jamie sourit, en se massant la joue.

— Où un pauvre type comme moi a-t-il trouvé cinq mille dollars ? termina-t-il.

— Non, ce n'est pas ce que…

— Mais si, Vicki. Et c'est une question normale, vu ce que j'étais quand je vous ai épousée. Je vais donc vous répondre.

Jamie remplit une deuxième fois le verre que Vicki avait vidé en se félicitant d'avoir ouvert la bouteille. Là où il avait échoué à la relaxer, le vin paraissait réussir. Une sorte de sérénité s'était installée sur son visage encadré du rideau ondulé de ses cheveux encore humides. Ses joues s'étaient enluminées d'un joli rose, ses lèvres pulpeuses n'étaient plus pincées aux commissures, et ses prunelles azur, que la frayeur glaçait comme un ciel d'hiver, prenaient maintenant une délicate nuance de faïence anglaise.

Un claquement intempestif contre un volet pouvait à tout moment briser le charme, mais, quand Vicki Sorenson oubliait d'être effrayée et de se demander si elle pouvait faire confiance à son mari irlandais, elle était incroyablement jolie.

— Il faut savoir à quoi ressemblait Belfast en 1988, commença-t-il. Et savoir ce que signifiait être un Malone.

— Kenny m'a dit que vous étiez recherché, dit-elle en contemplant le contenu de son verre.

Elle releva ses yeux vers les siens avec un petit sourire.

— Mon amie avocate voudrait me convaincre que vous êtes un criminel, mais je n'arrive pas à la croire.

Jamie lui retourna son sourire.

— Votre amie se trompe, mais Kenny disait vrai. Sans être criminel, j'étais activement recherché. Là-bas, quand on s'appelait Malone, il était impossible de ne pas être traqué par une police ou l'autre.

Il jeta un bref coup d'œil sur la photo posée à l'angle de son bureau, au fond de la pièce. Trois jeunes gars intrépides, trois paires d'yeux pleins d'espoir, trois sourires pleins d'espièglerie. Ils se tenaient par les épaules, comme si rien ne devait jamais les séparer. Les trois frères Malone : Frank Junior, Cormac et Jamie. Fiers et invincibles, mais les deux aînés brûlant de tout le feu des fourneaux de la fonderie de Belfast où ils travaillaient.

Il ramena son attention sur Vicki.

— A cette époque-là, l'Irlande du Nord était un chaudron de révolte, de haine et de désespoir. Les protestants détestaient les catholiques, les républicains détestaient les loyalistes. Et, à l'âge où les frères Malone cherchaient leur voie, la jeunesse de Belfast plaçait son orgueil et sa colère dans ses poings.

— Je me souviens des reportages, intervint-elle. C'était terrible. Les affrontements, les attentats, les morts…

Jamie fut surpris qu'elle s'y soit intéressée, à l'époque. Treize ans plus tôt, elle n'avait jamais abordé le sujet avec lui. Peut-être n'avait-elle pas osé, par timidité, sans doute.

— Oui, soupira-t-il. Une triste période pour l'Irlande… il y avait plus de douleur que les mères n'en pouvaient supporter. Hélas ! au milieu de toutes ces blessures, Frank Junior et Cormac, mes frères aînés, ont choisi le mauvais chemin. De tous les talents que ma pauvre mère imaginait que ses fils puissent acquérir, fabricants et poseurs de bombes étaient les derniers sur la liste.

— Oh ! mon Dieu ! Quelle horreur pour une mère ! murmura-t-elle. Qu'ont-ils fait ?

— Ils se sont employés à détruire des églises adverses, des écoles, des magasins. Ils opéraient de nuit ; par chance, ils n'ont tué personne. Mais ils faisaient exploser toutes les voitures et les vitrines sur leur passage, c'était en quelque sorte leur carte de visite. Les Malone hors-la-loi se sont fait un nom par eux-mêmes.

Vicki hocha la tête.

— Et vous partagiez ce nom.

Jamie se pinça l'arête du nez. Après tout ce temps, les souvenirs étaient toujours douloureux.

— J'ai eu quelques ennuis, oui. J'étais le seul à vivre au grand jour, le seul que la police pouvait harceler. Ils auraient voulu punir un Malone pour l'exemple, mais ils n'avaient rien à me reprocher. Quant aux deux autres, ils ne les trouvaient pas. Ni ma mère ni moi ne savions où ils étaient, à part lorsqu'ils passaient à l'improviste. Leur réseau clandestin était bien huilé. Deux gars pouvaient faire sauter un marché, s'échapper par une ruelle et on ne les revoyait plus pendant des semaines.

Vicki lui exprima sa compassion avec un pauvre sourire.

— Vous avez dû quitter l'Irlande à cause de vos frères ?

— Oh ! pas comme ça… Je n'aurais jamais abandonné ma mère. Mais, un jour, ils sont sortis de leur terrier au mauvais moment. Pour une fois, ils n'avaient pas d'explosifs dans les poches, mais ils sont tombés sur une bagarre de rue dans notre quartier et n'ont pas pu s'empêcher de s'en mêler. Une voisine a prévenu ma mère, qui m'a envoyé les chercher. Il me suffisait de leur crier : « vingt-deux, v'là les flics ! » pour qu'ils décampent, seulement je n'ai pas eu le temps. Des gars de l'autre clan me sont tombés dessus et je n'ai pu que me défendre. Quand la police est effectivement arrivée, nous étions trois Malone ensanglantés, aussi coupables les uns que les autres.

Vicki tressaillit et Jamie vit son visage se défaire à la lueur des bougies.

— Vous avez été arrêté.

— Non. Frank m'a crié de courir pendant qu'ils lui passaient les menottes, et c'est ce que j'ai fait. J'ai couru. Très vite. La dernière image que je garde, c'est Cormac, la joue appuyée sur l'asphalte et la botte d'un policier au creux des reins. Ce soir-là, j'ai compris que mes frères étaient de gros poissons dans le réseau. Ils avaient transmis une consigne. Peu après, une femme et deux hommes se sont présentés à la maison, ils ont parlé à ma mère et m'ont emmené. Le lendemain matin, j'étais embarqué dans un bateau de pêche qui m'a déposé sur l'île de Man, d'où un petit avion privé m'a transporté sur la côte française. Ensuite, j'ai atterri à New York, pendant que Frank et Cormac, en détention préventive, attendaient leur procès.

— Où sont-ils, maintenant ?

La sincérité de l'intérêt qu'elle portait à son histoire ne cessait de l'étonner. Jamie n'en espérait pas tant et sa sympathie le réchauffait.

— Toujours en prison. Ils ont écopé de vingt ans.

Vicki se raidit derechef alors que la péniche s'emplissait d'un long vrombissement rauque et sifflant, comme si une locomotive la traversait. Ce n'était qu'une bourrasque qui jouait dans les interstices, mais le bruit était franchement lugubre.

Jamie la rassura d'un sourire.

Il imaginait ses frères en prison. Frank et Cormac avaient sûrement pris quelques cheveux blancs et quelques rides. Il s'était résigné depuis longtemps à ne jamais les comprendre, ces deux trublions délinquants, devenus des hommes durs et dangereux. Leur père brutal et abusif y était certainement pour quelque chose. A sa mort, leur fureur refoulée avait dû trouver un exutoire dans la lutte armée et la fraternité de clan.

Plus jeune, Jamie avait échappé à cette rage et le destin lui avait permis de sortir sa mère de son calvaire.

Et tout cela grâce à une fille de l'Indiana, qui avait eu besoin d'argent mais n'avait jamais trahi son serment ! Vicki aurait pu le laisser tomber six mois plus tard, au moment de l'audience de l'INS, mais elle avait appris son texte et était venue. Cette fois-là, elle avait refusé toute rétribution.

Jamie s'aperçut qu'il lui devait encore un éclaircissement.

— Quant aux cinq mille dollars, c'est le réseau qui me les a procurés. Il a des ramifications jusqu'en Amérique. On m'a obtenu un contrat de travail et un emploi respectable qui me permettait de payer une chambre dans une pension de Rhode Island, et d'acheter assez de pain et de saucisses pour survivre. Je pouvais même m'offrir une Guinness le vendredi soir… Entre-temps, la confrérie s'est activée à me chercher une possibilité de mariage blanc. J'aurais pu me retrouver n'importe où, au Texas ou à Chicago. Mais, quand mon visa est arrivé à expiration, c'est la cellule de Floride qui m'a fourni les moyens d'épouser une fille de l'Indiana.

Ce souvenir l'amusait toujours.

— Une fille morte de frousse en me voyant le jour de son mariage !

Vicki se redressa et reposa son verre sur la table.

— Ce n'est sûrement pas vous qui m'auriez intimidée, déclara-t-elle dignement.

Il partit d'un éclat de rire tonitruant.

— Allons, Vicki ! Je viens de vous ouvrir mon cœur par cette nuit d'épouvante et vous osez me servir un mensonge pareil, à *moi* ?

Elle consulta sa montre.

— Ce n'est pas la nuit, il est à peine 18 heures.

— Ne détournez pas la conversation.

Enfin elle sourit.

— Vous étiez tellement différent des garçons que j'avais l'habitude de côtoyer ! A côté de Kenny, vous aviez l'air de remplir tout l'espace, avec vos cheveux roux et votre énergie. Evidemment, que vous me rendiez nerveuse.

— Ce n'était pas un mal. Une fille est censée être nerveuse, le jour de son mariage.

— Et comment avez vous atterri ici ?

— Ici, en Caroline du Nord ? Ou ici, sur le *Bucket o'Luck* ?

— Les deux.

— Je suis resté à Orlando le temps de faire venir ma mère, mais je n'étais pas taillé pour partager mon espace vital avec Mickey Mouse et le million de pèlerins qui passent chaque jour le vénérer. Ma mère cherchait du travail. En épluchant les annonces de notre gazette communautaire, elle a trouvé un notable irlandais qui recherchait une gouvernante logée et nourrie sur la côte Nord. Nous avons débarqué ici avec notre balluchon… Le *Bucket*, c'est un cadeau que j'ai reçu quelques mois plus tard.

— Un cadeau ? Quelqu'un vous a offert cette péniche ?

— Le maire de Bayberry Cove en personne.

Jamie ne put réprimer un rictus à l'évocation de Haywood Fletcher, le fameux notable irlandais qui employait sa mère.

— Le vieux chenapan voulait la faire disparaître du port, alors il s'est arrangé pour la gagner au poker. Après coup, il s'est rendu compte que l'offrir à quelqu'un qui voudrait la réparer lui coûterait moins cher que de l'emmener au large et de l'envoyer par le fond.

La péniche qui avait failli être transformée en épave rua tout à coup dans les brancards, tamponna le ponton et rebondit en faisant grincer ses amarres, comme pour rappeler à ses occupants qu'elle guerroyait à leur profit.

— Elle n'aime pas que je lui parle du maire, plaisanta Jamie, en essayant de dérider Vicki qui s'était agrippée à son coussin, le visage aussi blanc que les jointures de ses doigts.

— Vous êtes sûre qu'elle va tenir ? murmura-t-elle d'une voix sans timbre.

— Aucun doute, je vous le promets. Si j'en doutais, je ne serais pas resté ici ce matin quand le passage d'Imogène a été annoncé.

A vrai dire, Jamie était resté afin de surveiller sa remise. L'arrivée de Vicki l'avait empêché de bâcher son matériel à l'intérieur comme il en avait eu l'intention et l'angoisse le tenaillait. Il devait y aller avant que le gros de l'ouragan ne lui emporte une tôle.

Il se leva.

— Maintenant, tâchez de vous détendre. Reprenez un verre de vin, appelez Beasley pour vous tenir compagnie sur le canapé si vous voulez…

74

— Quoi ? s'affola Vicki. Où allez-vous ?

— A la remise. Il faut…

Ses yeux s'agrandirent sous le choc.

— Vous êtes fou !

Jamie s'arma de patience.

— Non, je ne prends aucun risque, répondit-il posément en enfilant son ciré dans la cuisine. Il n'y a pas d'arbres de ce côté-là, et je ne vais pas monter sur le toit.

Il sut alors que ce n'était pas lui le plus fou. Vicki se dirigea vers la porte et décrocha sa veste mouillée de la patère.

— Je vais avec vous.

— Ça, certainement pas !

— Oh que si ! Si vous pouvez sortir, moi aussi. Quoi qu'il y ait à faire, deux ouvriers valent toujours mieux qu'un.

Il lui saisit les bras au-dessus des coudes.

— Ne soyez pas stupide, Vicki. C'est *mon* problème ! Ce qu'il y a dans cette remise ne vous concerne pas.

— Je ne suis pas plus stupide que vous, persista-t-elle en se dégageant de sa poigne. Si vous y allez, j'y vais. Point final.

— Non, vous ne venez pas. Je n'ai pas besoin d'avoir à m'inquiéter pour vous en plus.

— Que moi je m'inquiète pour vous enfermée ici, ça vous est égal !

Cette simple algarade étaya sa conviction qu'il n'était pas de l'étoffe dont on fait les bons maris. Jamie ne comprendrait jamais pourquoi une femme, même moderne, devait s'obstiner à contester la logique irréfutable d'un homme sain d'esprit. En fait, il ne comprendrait jamais les femmes en général et, quand elles se conduisaient comme celle-là, il n'avait même pas envie d'essayer. Peut-être était-il rétrograde, machiste, dirigiste, mais pour Jamie Vicki Sorenson était son épouse, ne serait-ce que sur le papier, et il s'était engagé sur l'honneur à la protéger si elle s'avérait trop têtue pour se protéger elle-même.

Il la souleva dans ses bras, la transporta à travers le salon et la parachuta sur le canapé en grommelant :

— Vous ne bougez pas d'ici, et soyez sage !

Vautrée sur le canapé, elle le regarda, bouche bée, ses yeux immenses lançant des éclairs.

— Comment osez-vous me traiter de la sorte !

Jamie lui renvoya son regard courroucé.

— Vous n'aimez pas ça ? Eh bien, laissez-moi vous prévenir que c'est un doux traitement comparé à ce dont je suis capable.

Sur quoi, il regagna la porte en trois enjambées et se retourna une dernière fois pour agiter un index menaçant.

— Tenez-vous tranquille. Et je ne plaisante pas.

Puis il sortit sous la bourrasque pour recevoir une douche glacée à cent cinquante kilomètres à l'heure, exactement ce qu'il lui fallait. Le corps de sa femme se débattant contre son torse avait provoqué une réaction troublante, totalement inattendue chez un mari sur le point de divorcer – et particulièrement chez lui. A l'inverse de ses frères, Jamie avait retiré de l'agressivité de son père une sainte horreur de la guerre sous quelque forme que ce soit, même la plus anodine. Lui qui n'éprouvait aucun plaisir à s'énerver venait de découvrir que la bataille avec Vicki était dangereusement stimulante. Plus excitante que toutes les approches de séduction qu'il ait jamais expérimentées. Il imaginait ce que pourrait être l'amour avec elle…

Envahi de visions délirantes, il fonça tête baissée contre le vent qui charriait des branchages mais ne balayait pas les images qui lui tournoyaient dans l'esprit.

5.

Jamie sortit littéralement en coup de vent. Beasley, sans doute surpris par le courant d'air, émergea de dessous la table de salle à manger et dressa son museau pointu pour émettre un énorme bâillement accentué d'un regard accusateur.

Vicki en était encore à bouillir d'indignation.

— Ne me reproche pas de t'avoir réveillé, toi ! Tu n'as pas vu comment ton maître m'a rudoyée ? Tu n'as pas entendu comment il me parle ? Pour l'amour du ciel ! Je ne faisais que lui proposer mon aide, à cet ingrat !

La mâchoire du chien se referma sur un couinement, comme une vieille porte rouillée tandis qu'il s'étirait, puis il s'approcha d'un pas débonnaire, tête penchée comme s'il essayait de comprendre ce qu'elle lui disait.

Vicki gratta les bouclettes drues de son crâne.

— Et d'abord, que peut-il abriter de si précieux dans cette remise ? Qu'est-ce qui peut valoir le risque de sortir par ce temps ? Sûrement pas du matériau pour fabriquer des jeux de comptoir !

Qu'est-ce que ça pouvait bien être ? Une vieille voiture de collection ? Un équipement onéreux ? Des meubles qu'un client lui avait confiés à réparer ? Des souvenirs de famille que sa mère avait apportés d'Irlande ?

Le vent revint à l'attaque, envoyant des objets volants non identifiés s'écraser contre les volets avec un bruit infernal de métal vibrant. La péniche ballottée craqua dans une cacophonie de plaintes, hululements et grincements.

— Désolée, mais je ne resterai pas avec toi dans ce vieux baquet bombardé de tous côtés, murmura Vicki.

Elle alla déposer la bouteille et les verres dans l'évier où il y aurait un minimum de dégâts s'ils devaient se renverser, et entreprit d'éteindre les bougies. Même si le *Bucket o'Luck* ne lui semblait pas le refuge idéal, ce n'était pas le moment d'y mettre le feu.

— J'aime encore mieux m'aventurer jusque là-bas, mais le barda que ton maître est en train de préserver a intérêt à valoir mon héroïsme…

Ne laissant allumée que la lanterne à pile suspendue au-dessus du bar, elle se mit en quête des caoutchoucs.

— Où a-t-il fourré ces maudites galoches ?

L'image lui revint soudain : elle avait vu Jamie les enfiler par-dessus ses chaussettes avant d'attraper son ciré.

Le cœur brisé, elle contempla ses mocassins italiens qui lui avaient coûté une fortune et y glissa les pieds avec résignation. Si la première saucée ne les avait déjà pas arrangés, dans un instant ils seraient complètement fichus.

Pendant qu'elle endossait la canadienne démesurée et retroussait les manches, Beasley vint piétiner devant la porte.

— Inutile de me regarder comme ça, je ne t'emmènerai pas dans cette tempête.

Elle noua les brides du chapeau sous son menton.

— D'ailleurs, ma désobéissance pourrait transformer en fou furieux un homme que je croyais à peu près normal ; tu n'as pas besoin de voir ça. Dire que je commençais à éprouver de la sympathie pour Jamie Malone !

S'arc-boutant afin d'éviter que la poignée lui soit arrachée des mains, elle parvint à ouvrir la porte.

— Souhaite-moi bonne chance ! lança-t-elle encore avant de sortir pour se faire copieusement doucher par une vague écumeuse qui s'écrasait sur le pont.

Le sort des mocassins en était jeté.

Bientôt, l'eau glouglouta entre les orteils de Vicki à chaque pas, mais c'était sans grande importance car une bataille titanesque accaparait toute son énergie. Titubant contre vent et pluie, ses semelles de cuir patinant dans la mélasse, Vicki luttait pour conserver l'équilibre. Un bras replié devant son visage pour se protéger des brindilles qui voltigeaient, les paupières plissées, elle retenait sa respiration pour ne pas inhaler les particules de sable mouillé qui lui piquaient la peau comme une grêle de moustiques.

Le trésor que ce farfelu de Malone conservait dans son hangar avait intérêt à valoir le déplacement ! se répéta-t-elle.

La remise devait se trouver à une dizaine de mètres, mais il lui fallut sûrement une bonne minute pour négocier son chemin à travers le bourbier, sous un déluge qui répandait la nuit noire avant l'heure.

Quand enfin elle atteignit la porte, Vicki eut beau prendre ses précautions pour la retenir, à peine eut-elle tourné la poignée que le panneau poussé par une rafale s'ouvrit à la volée et claqua contre le mur.

Elle se trouva plongée dans l'obscurité, le halo d'une torche n'éclairant que Jamie, perché en haut d'une échelle double. Il se retourna en sursaut.

— Alors là, les bras m'en tombent ! Qu'est-ce que je vous ai dit il y a cinq minutes ? Vous n'écoutez donc rien ?

— Si, j'écoute ! rétorqua-t-elle en luttant contre le vent pour refermer la porte. Vous m'avez dit : « Je vais à la remise et vous m'y rejoignez dès que vous pourrez ».

— Sûrement, oui !

Ses yeux s'ajustant à la pénombre, elle constata qu'il avait noué une corde autour d'une tôle qui avait glissé et s'échinait à la ramener en place, arrosé par l'averse qui s'écoulait par l'ouverture.

Il tira d'un coup sec et la tôle crissa en se repositionnant sous sa voisine du dessus. Jamie redescendit aussitôt de l'échelle. Vicki recula, persuadée qu'il allait se précipiter pour lui tordre le cou, mais il se contenta de fixer sa corde tendue au solide pilier d'une étagère.

— Rentrez immédiatement ! hurla-t-il tout en s'activant.

— Je ne peux pas. Il pleut, dehors.

Pour illustrer ses dires, elle ôta son chapeau et l'essora, déversant à peu près un litre d'eau sur la dalle en ciment.

— Maintenant que je suis là, vous préférez perdre votre temps en vaines chamailleries, ou bien vous me dites ce que je peux faire pour vous aider ?

Il lui jeta un regard furibond, la bouche ouverte comme s'il s'apprêtait à polémiquer, puis se ravisa et lui désigna d'un geste brusque l'angle du mur derrière elle.

— Commencez à dérouler ça et prenez les gros ciseaux accrochés au tableau à outils de l'autre côté.

« Ça », c'était un gros rouleau du plastique avec lequel il avait rafistolé le toit de la péniche. Et « l'autre côté », c'était l'atelier, à toiture étanche et fenêtres barricadées, où son matériel de menuiserie se trouvait parfaitement à l'abri.

Que voulait-il recouvrir avec ce plastique ? Pas de vieille automobile en vue. Pas d'antique malle irlandaise pouvant contenir des cruches en or et autres trésors celtiques. Rien.

Hormis une longue table où s'alignaient des pots de peinture et des bidons de produits divers, la mystérieuse remise de Jamie Malone ne contenait rien d'autre que du bois ! Des poutres, des madriers, des planches, des rondins, des tronçons plus ou moins longs, plus ou moins épais – et tout ça répertorié, aussi minutieusement rangé que des livres rares dans une bibliothèque nationale.

Quelque chose devait lui échapper... Cet homme n'était pas en train de braver un ouragan pour protéger du bois !

L'incroyable se confirma néanmoins lorsqu'il la rejoignit à toute vitesse, coupa le plastique en un tournemain, attrapa une extrémité de la longueur et lui intima de prendre l'autre.

— Il faut couvrir le plus précieux, je crains d'autres fuites dans la toiture avant demain matin.

Vicki en resta pantoise.

— Précieux ? C'est pour des *bûches* que vous risquez votre vie ? Que vous vous conduisez avec moi comme un homme des cavernes et que vous foncez comme un dément au milieu d'une tempête meurtrière ?

Jamie déploya vivement sa bâche sur une pile de madriers.

— Je vous avais prévenue que le contenu de mon entrepôt ne vous intéresserait pas.

— Exact. Mais je ne pouvais pas imaginer que ce soit *à ce point* inintéressant !

— C'est vous qui avez désobéi à mes ordres ; vous êtes venue ici de votre propre chef, lui rappela-t-il. Alors, vous m'aidez, ou vous restez là à dénigrer le bois le plus précieux de la côte Est ? Apportez-moi la pelote de grosse ficelle, sur la table, là-bas.

Pendant qu'il fixait les bords de sa housse avec la ficelle, Vicki coupa une autre longueur de plastique. Elle l'aida à couvrir une deuxième pile, puis d'autres, finissant par se laisser prendre à son agitation et s'activant avec autant d'ardeur que lui.

— Je n'arrive pas à croire que je suis en train d'emmailloter du bois ! cria-t-elle pour se faire entendre malgré le tintamarre du vent qui jouait de la batterie dans les tôles.

Jamie la regarda par-dessus un stère de rondins, ses yeux scintillant de malice dans le faisceau de la lampe torche.

— Dépêchez-vous ! Il nous reste le merisier noir et le cèdre rouge, j'y tiens énormément.

Selon elle, si son stock prenait l'eau, la seule catastrophe qui en résulterait serait l'impossibilité d'allumer un feu avec des rondins humides. Vicki s'abstint toutefois de formuler son opinion. La conscience professionnelle de Jamie Malone était touchante mais aboutissait à une conclusion irréfutable : si cet homme était prêt à mourir pour sauver du matériau à fabriquer des solitaires, c'est qu'il vouait à ses jeux une passion obsessionnelle et donc qu'il était bel et bien zinzin !

Jamie avait dû mobiliser toute sa maîtrise pour ne pas bondir sur Vicki et l'étrangler en la voyant débarquer. Il n'en revenait pas qu'elle ait méprisé son interdiction. Pensait-elle qu'il plaisantait ? Bon sang, il n'en était pas à son premier ouragan et savait de quoi il parlait ; mais, visiblement, il ne savait pas à *qui* il parlait.

A vrai dire, son accès de colère était vite retombé. Elle avait une dégaine si pathétique, dans cette canadienne ruisselante qui lui descendait sous les genoux, le chapeau dégoulinant comme une méduse échouée sur sa tête, et avec son expression pugnace envers et contre tout. Un homme raisonnable savait se garder de raisonner avec une femme aussi déterminée.

De plus, comme il l'avait découvert en posant les volets, Jamie aimait travailler en équipe avec elle. Non seulement Vicki était dynamique, mais elle avait le sens de la coordination avec son équipier et anticipait d'instinct ce qu'il fallait faire – même si elle ne se privait pas de lui répéter qu'elle ne voyait pas l'utilité de recouvrir des bouts de bois.

Il aurait pu lui expliquer que son bois valait une fortune et qu'il avait passé des mois à chercher les pièces idéales, dignes de devenir les figures de proue que le musée de la Marine de Boston lui avait commandées. Les organisateurs de la future exposition *Notre Héritage d'Outre-Atlantique* avaient fait appel à son talent pour recréer les splendides sculptures qui ornaient les caravelles d'autrefois. A partir de l'été prochain, les œuvres de J.D. Malone compléteraient le patrimoine national hérité des grands navigateurs de jadis. Aucun artiste ne pouvait rêver plus belle consécration de sa carrière.

Pourquoi il n'avait pas envie d'en parler à Vicki, c'était une autre histoire. Depuis quelques années, il se sentait peut-être un peu trop courtisé pour son succès et trouvait rafraîchissant d'avoir une épouse légitime ignorant tout de son ascension.

A eux deux, ils terminèrent la corvée en un temps record. Avant de sortir, Jamie balaya la remise du faisceau de sa torche pour une dernière vérification. Au souffle du vent qui s'infiltrait par les interstices de la toiture, les bâches prenaient des allures de fantômes ondulant dans les ténèbres. Une tôle pouvait toujours s'envoler, mais au moins Jamie avait-il bon espoir que la pluie ruissellerait sans atteindre son bois.

Il posa une main ferme sur la poignée de la porte.

— Prête ?

— Vous croyez qu'on peut passer entre les gouttes en piquant un sprint ? demanda-t-elle.

Il lui jeta un coup d'œil par-dessus son épaule.

— Je doute que nous puissions courir, même si nous avions le diable aux trousses.

La violence de la rafale qui les frappa lorsqu'il ouvrit les projeta ensemble un pas en arrière.

— Essayons déjà de ne pas tomber, dit-il. Accrochez-vous à mon bras.

Son avertissement fut prémonitoire et ce qu'il redoutait se produisit. A trois mètres de la péniche, relâchant sa vigilance dans sa hâte d'arriver, Vicki dérapa. Avant qu'il ait le temps de la retenir, elle s'écroula à genoux dans la gadoue avec un couinement de douleur.

Pendant que Jamie se penchait pour la ramasser, le halo de la torche pendue à son poignet éclaira en zigzag les traits crispés de son visage.

— Ça va ? Vous pouvez vous relever ?

— Je crains de m'être foulé la cheville, gémit-elle.

D'un geste fluide, il lui entoura la taille et la redressa précautionneusement en la tenant serrée contre son flanc. Vicki ne pesant pas très lourd, il parvint presque à la transporter d'un seul bras sans même qu'elle soit obligée de clopiner sur son pied valide.

En entrant dans la péniche, il fut agréablement surpris qu'elle ait pensé à éteindre les bougies, même si un autocollant sous leur socle les empêchait de tomber. Dans un bateau, chaque meuble et chaque objet était conçu de manière à ne pas se renverser.

Il fit asseoir Vicki sur un tabouret sous la lanterne dans la cuisine, lui prit sa canadienne, se débarrassa de son ciré, puis s'agenouilla pour lui ôter sa chaussure.

Même avec toute la délicatesse possible, ce simple geste lui arracha un gémissement de douleur.

— Tout ça est votre faute, vous savez ! l'accusa-t-elle entre deux petits souffles ravalés.

— Ben voyons ! Expliquez-moi donc ça.

La terre de Pintail Point ne contenant pas d'argile rouge, la couleur de sa chaussette l'alerta.

— Vous avez été trop évasif. Vous auriez dû me dire plus clairement que je devais rester dans la péniche.

— La prochaine fois, je me ferai mieux comprendre, dit-il en retroussant le bas du survêtement grenat imbibé d'un liquide visqueux.

Il la regarda dans les yeux et vit qu'elle essayait de sourire.

— Vicki, vous conservez votre calme, n'est-ce pas ?

— Du calme ? Mais je n'en ai pas eu une demi-minute depuis mon arrivée ici !

— Eh bien, c'est le moment d'en trouver, chérie. Parce que votre jambe saigne à flots.

Vicki souleva sa jambe et se pencha pour voir. Un magma ensanglanté sur son tibia ruisselait jusqu'à sa cheville.

— Oh non ! Comment ai-je fait ça ?

Jamie revint avec un torchon mouillé et nettoya doucement les contours de la plaie.

— Vous avez dû tomber sur une pierre coupante.

— C'est le pompon ! maugréa-t-elle en s'appuyant la tête contre le mur. Comme si l'entorse ne suffisait pas. C'est profond ?

— Non, moins grave que je ne le craignais.

Ce disant, il prit une autre serviette pour absorber le sang qui coulait toujours.

— Il me faut des points de suture ?

— Je ne crois pas. De toute façon, je ne possède pas d'autre matériel que le fil et l'aiguille à brider les volailles. Et sans anesthésie.

Vicki aurait dû se dérider. Jamie n'aurait pas plaisanté si la blessure l'avait sérieusement alarmé. Toutefois, elle couvait ses propres motifs d'inquiétude.

— Je vais avoir une cicatrice.

— Une toute petite, peut-être. Les écorchures sur les os saillants saignent toujours beaucoup pour pas grand-chose.

Il noua grossièrement un torchon propre autour de son mollet et se releva. Vicki le dévisagea, effarée.

— Avez-vous un pansement, au moins ?

— Faites-moi un peu confiance, mon cœur. Je travaille avec des outils dangereux. Après l'électricité, la trousse de première urgence est mon accessoire le plus vital.

— Voilà au moins une pensée rassurante.

Il glissa un bras sous ses aisselles, l'autre sous ses genoux.

— Je vais vous transporter sur le canapé afin que nous puissions vous soigner plus confortablement.

Quand il la souleva du tabouret, elle se fit l'effet d'une vieille serpillière dégoulinante.

— Est-ce que je pourrais vous réemprunter des vêtements secs avant que vous ne commenciez à jouer au docteur ?

Il haussa le sourcil, ses yeux verts pétillant à quelques centimètres des siens.

— Jouer au docteur ? Quelle agréable perspective...

Ce médecin-là avait l'art de détendre ses patientes.

— N'y songez même pas, le prévint-elle d'un ton sévère.

— Trop tard ! Mon esprit est déjà tout émoustillé par le fantasme… Prenez la torche, j'ai les mains prises.

Elle obtempéra. Il la transporta à travers la chambre puis la déposa sur le bord de la baignoire avant d'allumer une applique autonome qui répandit une lumière blafarde.

— Ne bougez pas, je vous apporte ce qu'il faut.

Il revint deux minutes plus tard avec des serviettes, un sweat-shirt, un bermuda et… deux cannes.

— Elles vous permettront de vous déplacer plus facilement. Je vais me changer au salon ; appelez-moi si besoin.

Vicki le regarda disparaître, partagée entre le fou rire et la crise de nerfs. Essayant d'ignorer le tangage et la sarabande de l'ouragan dans les volets, elle entreprit de se déshabiller. En se levant pour ôter son pantalon, elle croisa son reflet dans le miroir.

Quel spectacle ! Le maquillage en déroute, les cheveux dressés dans tous les sens, elle avait l'air d'une gorgone frappée par la foudre au milieu d'un tour de montagnes russes. Malgré cela, pas une trace de fatigue sur les traits ! Ses yeux étincelaient de vitalité, son visage irradiait l'énergie, sa peau fourmillait.

C'est la peur, se dit-elle en reprenant conscience de la tempête déchaînée alentour. Une peur bleue produisait parfois cet effet. Quand son taux d'adrénaline reviendrait à la normale, Vicki Sorenson s'effondrerait sans doute comme une ruine.

En attendant, elle commença par examiner ses blessures. L'entaille toujours saignante sur son tibia mesurait cinq bons centimètres et sa cheville enflée virait au violacé. Aucune chance de rentrer à Fort Lauderdale sur ses deux pieds !

Elle imaginait la tête de Graham en la voyant débarquer de l'avion en clopinant sur des béquilles. Quelles questions n'allait-il pas poser ! Qu'allait-elle inventer pour justifier son état ? Quelle sorte de catastrophe aurait pu lui arriver dans une vente aux enchères en Virginie ?

Pour un petit mensonge de rien du tout sur le but de son voyage, elle s'enlisait dans son propre piège comme dans des sables mouvants. Ce saut à Pintail Point, censé effacer la seule grosse erreur de son passé susceptible d'entraver son bonheur futur, entraînait une série de complications qui menaçaient précisément ce qu'elle était venue sauver.

Après un brin de toilette, elle se brossa vigoureusement les cheveux et leur redonna un peu de volume du bout des doigts en inspectant son reflet. Le miroir ne lui renvoyait toujours pas l'image d'une femme effondrée. Quant à sa tenue, avait-elle besoin de vérifier si elle était présentable ? Du moment qu'elle se sentait propre, dans des vêtements secs, pour qui se mettrait-elle en frais ?

Agacée, elle claudiqua sur ses cannes à travers la chambre qui tanguait, et entrouvrit à peine la porte.

— Etes-vous décent ?

— Ça dépend pour qui, répondit Jamie. En tout cas, je suis habillé.

Il vint au-devant d'elle, la soutint et l'aida à s'installer dans l'angle du canapé, les jambes allongées avec un coussin sous les pieds.

Alors qu'il repartait, en contrepoint des mugissements du vent, un sifflement attira l'attention de Vicki vers la cuisine. Un jet de vapeur lui apparut comme un miracle – pas de ceux qui résoudraient ses problèmes, mais toutefois suffisant dans l'immédiat pour lui mettre le cœur en joie.

— Est-ce une bouilloire ? Vous chauffez de l'eau ?

— Un petit réchaud d'appoint qui fonctionne au gaz. Je ne me laisse jamais prendre de court par une tempête. Café ? Thé ?

— Un thé, ce serait merveilleux.

Jamie revint de la cuisine avec une mallette à pharmacie.

— Voyons cette cheville pendant que ça infuse.

S'agenouillant, il commença à imprimer une lente rotation à son pied.

— Ouille !

— Pardon, je voulais vérifier qu'il n'y a rien de cassé. Ce n'est qu'une vilaine entorse. Avec un onguent et un bon bandage, vous vous sentirez déjà mieux.

Il appliqua la pommade, la faisant pénétrer en profondeur avec des doigts fermes mais d'une douceur incroyable. Vicki ferma les paupières.

S'il était kiné, je ne divorcerais pas, s'entendit-elle penser. D'où avait bien pu venir cette idée ?

Après avoir bandé sa cheville avec la même expertise, il dénoua le torchon de fortune qu'elle avait remis sur sa plaie sanguinolente qu'il nettoya avec un antiseptique avant de la couvrir de poudre antibiotique.

— Je l'ai regardée de près, dit-elle. Sans points de suture, je suis sûre d'avoir une cicatrice. Graham va être dégoûté.

Jamie recouvrit son cataplasme d'un carré de gaze.

— Pour une petite balafre à la jambe ?

— Il est si pointilleux sur la moindre imperfection qu'il fonce chez un chirurgien esthétique pour une écharde dans le doigt.

Sans rire de sa boutade, Jamie prit un large rouleau de tissu adhésif, en tira une vingtaine de centimètres et, oubliant son professionnalisme, déchira le morceau avec les dents.

— Je vais le tendre au maximum, faire en sorte que les bords de l'entaille soient aussi rapprochés que possible afin d'éviter la cicatrice, promit-il en collant une extrémité du sparadrap sur l'intérieur de son mollet.

— Aïe ! Vous tirez trop !

Il relâcha un peu la tension du sparadrap.

— Je m'applique à fermer consciencieusement la plaie pour Graham. Je serais navré qu'il ait à endurer le spectacle d'une telle imperfection.

Si Vicki avait appris quelque chose de sa longue amitié avec Louise, c'était à reconnaître le sarcasme quand elle l'entendait. Elle fronça les sourcils.

— Votre sollicitude me semble un peu pernicieuse.

— Oh ! Et moi qui croyais au contraire faire preuve d'une extraordinaire sensibilité...

Il rangea sa pharmacie.

— A propos... à supposer que vous revoyiez votre *presque peut-être* fiancé avant d'être capable de courir un marathon, comment envisagez-vous de justifier votre handicap ?

Vicki n'en finirait jamais de regretter ce mot malheureux qui lui avait échappé pendant qu'ils posaient les volets. Pourquoi avait-elle laissé planer un doute sur les intentions de Graham ? Elle était *certaine* qu'il préparait sa demande !

— Je lui dirai que je suis tombée sur mon verre cassé en dansant ivre morte dans une boîte mal famée.

Jamie revint de la cuisine avec deux tasses fumantes et lui en tendit une.

— C'est bien ce que je soupçonnais. Il n'est pas au courant, n'est-ce pas ?

— Au courant de quoi ?

— De mon existence. Du fait que vous êtes venue ici pour obtenir le divorce.

Vicki but quelques gorgées de thé, le temps de réfléchir. Elle conclut que ce n'était pas à Jamie Malone de lui reprocher de garder le secret sur un mariage que lui-même mettait en avant pour servir des intérêts discutables.

90

— Je n'ai pas vu l'utilité d'en parler, dit-elle d'un ton neutre.

— Pourquoi ? Vous avez honte de moi, ou honte de vous ?

Cet Irlandais commençait à lui échauffer les oreilles.

— De moi, certainement pas. Quant à vous, jusqu'à présent je ne vous connaissais pas assez pour avoir honte de vous, mais ça pourrait venir.

Il se campa les bras croisés, son grand corps oscillant au rythme de la péniche.

— Comment pouvez-vous taire quelque chose d'aussi important à l'homme que...

— Ce mariage n'est *pas* important ! Ce n'est qu'un bout de papier, Jamie ! Si j'ai honte de quelque chose, c'est de ça. Nous avons fraudé, nous avons été malhonnêtes. Vous aussi, vous devriez en avoir honte.

— Honte de quoi ? Je suis un membre actif de la société américaine, je n'ai jamais demandé l'aumône, je ne suis pas sous assistance, je paye mes impôts. De mon point de vue, ce pays n'a tiré que des bénéfices à m'accorder mon permis de séjour.

Un membre actif de la société ! Un marginal qui procure des jeux de comptoir aux citoyens de Bayberry Cove ! Ah oui ! comment l'Amérique aurait-elle pu se passer de lui ? songea hargneusement Vicki en détournant les yeux de crainte qu'il n'y lise ses pensées.

Imogène se rappelant à leur bon souvenir, une secousse du bateau obligea le capitaine à s'asseoir dans le fauteuil.

Vicki s'émerveilla soudain de sa propre faculté d'adaptation aux conditions extrêmes. Depuis son retour de la remise, le raffut des éléments ne la terrifiait plus et papoter à la lueur des bougies lui paraissait presque normal.

— Ecoutez, reprit Jamie. Je crois que vous devez la vérité à un homme que vous comptez épouser. Sans une totale franchise, comment pouvez-vous espérer un mariage durable ? Le passé est le passé, Vicki. Un type qui vous aime assez pour s'engager à vie avec vous peut certainement comprendre vos motivations si vous lui expliquez. Un futur mari mérite au minimum de connaître l'existence d'un mari précédent.

Ce sermon lénifiant attisa l'indignation de Vicki. Comment Jamie Malone osait-il prétendre la conseiller sur sa future relation conjugale ?

— De quel droit me critiquez-vous ? s'emporta-t-elle en se redressant sur le canapé. Qui vous permet de prendre le parti de Graham ? Vous ne savez rien de lui ! Vous n'avez aucune idée de la façon dont il réagirait en apprenant une nouvelle pareille !

— C'est vrai. Alors, dites-le-moi. Comment réagirait-il ?

Posant machinalement les deux pieds par terre, Vicki s'aperçut que le bandage apportait une nette amélioration à la douleur. Elle poussa un soupir exaspéré.

— Cela ne vous regarde pas.

Elle savait exactement comment Graham et toute la dynastie Townsend réagiraient. Leurs nez aristocratiques se dresseraient si haut qu'ils en manqueraient d'oxygène.

— D'abord, biaisa-t-elle, chacun a droit à son jardin secret. Je n'ai trompé personne en passant ce mariage sous silence. C'est vous qui m'obligez à accumuler les mensonges !

Jamie plaqua les mains sur son torse en un geste d'innocence.

— Comment diable êtes-vous parvenue à cette théorie ?

— Je n'aurais pas d'entorse si vous n'étiez pas parti dans votre remise pour protéger de prétendues merveilles d'une valeur inestimable.

— Je n'ai jamais rien dit de tel.

— Non, mais le risque que vous preniez le sous-entendait. C'est pourquoi je suis sortie vous offrir ma collaboration en croyant que ça valait la peine.

— Ça valait la peine. Je sauvais mon bois.

— Ah oui ! Et à cause d'un tas de bois, je ne peux plus marcher et j'ai une crevasse dans la jambe !

— Je vous avais assignée à résidence. Oubliez-vous votre petit acte de mutinerie ?

— Oh ! Quel toupet ! Je suis allée vous *aider* ! Merci pour le remerciement. Quelle ingratitude !

Il sourit.

— Je ne vois pas de plus belle preuve de reconnaissance que de me préoccuper de votre bonheur. C'est une façon de vous exprimer ma gratitude, quand je vous dis que vous devez la vérité sur votre passé à cette âme sœur dont vous vous croyez amoureuse.

Vicki l'aurait volontiers giflé, tout à coup. Le terme ridicule « d'âme sœur » lui vrillait les nerfs.

— Je comprends, poursuivit-il, que vous vous débarrassiez de votre premier mari pour faire place nette au second. Mais cela n'empêchera jamais que j'existe et que, de fait, nous avons été mariés pendant treize ans.

— Mais enfin ! C'est un mariage bidon ! Regardez-nous ! Vous ne me connaissez pas, je ne vous connais pas. Nous sommes des étrangers, nom d'une pipe !

Elle attrapa ses cannes et se leva. Jamie se leva aussitôt, prêt à la soutenir en cas de besoin.

— Eh bien, peut-être que nous devrions.

— Que nous devrions quoi ? De quoi parlez-vous, maintenant ?

— Essayer de ne plus être des étrangers.

D'où sortait-il cette aberration ?

— Comment ça ?

— Comme ça.

Ses grandes mains lui encerclant les bras, il l'attira et sa bouche couvrit la sienne avant que Vicki comprenne que Jamie Malone était en train de l'embrasser. Elle ne pouvait reculer étant donné que ses mollets touchaient le canapé et resta donc emprisonnée, les poings crispés sur ses cannes et les pensées en déroute.

Ce ne fut pas un long baiser. Juste une tactique « frappe et repli », qui la laissa en proie à un maelström de sensations allant de la fureur à l'euphorie. Le corps chancelant d'un vertige qui ne devait rien au tangage de la péniche, elle retomba assise sur le canapé, stupéfaite, le cœur martelant contre ses côtes, sans voix. Pendant plusieurs secondes, elle ne put que river son regard à ces yeux verts pétillants.

— Pourquoi avez-vous fait ça ? murmura-t-elle enfin.

Elle le vit prendre une profonde inspiration.

— Cela fait treize ans, Vicki. Il m'a semblé qu'après une si longue abstinence, un mari est autorisé à revendiquer un deuxième baiser.

Vicki secoua lentement la tête.

— C'est dément ! Je vais me coucher et essayer d'oublier ce qui vient de se passer.

— Bonne chance ! Prenez ma chambre, je dormirai ici.

— Cela va sans dire.

Elle traversa le coin repas avec ses cannes sans qu'il se précipite pour l'assister.

— Et ne vous avisez pas de venir ! lança-t-elle en claquant la porte.

Moins d'un quart d'heure plus tard, il frappait.

— J'ai besoin d'utiliser la salle de bains.

Vicki remonta vivement la couverture sous son menton.

— Allez-y !

Lorsqu'il ressortit, elle s'était redressée en position plus digne, les mains croisées sur le rabat du drap.

Jamie s'arrêta devant le lit et la regarda.

— Vous savez, chérie, tous les conseillers matrimoniaux vous diront que des époux ne doivent jamais se coucher fâchés.

Elle saisit l'oreiller d'à côté et le lui lança à la tête. Jamie l'attrapa au vol, le serra amoureusement contre son torse, et s'esquiva avant qu'elle n'ait trouvé un objet plus dangereux à lui lancer.

Vicki attendit quelques instants, épiant les bruits du salon, avant d'éteindre la lanterne.

Ce fut en s'allongeant dans le noir absolu qu'elle s'aperçut que la tourmente semblait perdre de sa violence.

Du moins la tourmente extérieure...

6.

Jamie s'éveilla comme tous les matins à 7 heures, bien qu'aucun rai de lumière ne pénétrât dans le salon – et en dépit du fait qu'il émergeait d'une nuit à peu près blanche. Il se redressa pour allumer la lanterne ; un long museau apparut sur le coussin voisin du sien.

— B'jour Beasley, dit-il en bâillant.

Le chien remua la queue et lança un regard plein d'espoir vers la porte. Jamie alla lui ouvrir, puis il enfila son jean, son pull et ses galoches avant de sortir à son tour.

Pendant qu'un Beasley désorienté cherchait un coin d'herbe accueillant dans son territoire ravagé par Imogène, Jamie se tint sur le pont, l'esprit réinvesti par le baiser qui l'avait hanté pendant une bonne moitié de la nuit. Il avait cédé à une impulsion stupide mais, à l'instant où ses mains s'étaient posées sur les bras de Vicki, il lui avait semblé qu'il ne pourrait plus jamais respirer sans avoir goûté un baiser de ses lèvres.

Etait-ce parce que le soulagement éprouvé en constatant que sa blessure n'était pas grave avait chambardé ses émotions ? Ou alors parce que l'adorable fille effarouchée du palais de justice d'Orlando était devenue une femme incroyablement désirable ? Sans doute les deux s'étaient-ils combinés pour libérer les pulsions qu'il essayait de contrôler depuis qu'elle lui était apparue, fouettée par le vent, au pied de la passerelle.

Par-dessus le marché, comble de l'idiotie, Jamie était jaloux comme un tigre de ce Graham. Il acceptait qu'elle soit venue divorcer pour se remarier, mais l'impression qu'elle s'écrasait devant ce type le taraudait. Une femme comme Vicki n'avait à s'écraser devant personne.

Une femme comme Vicki… Sur quoi se fondait-il pour en juger ? Trop peu de chose, à son gré. Les facettes de sa personnalité entrevues au cours des dernières heures lui donnaient une terrible envie d'en apprendre davantage sur la femme qu'il avait épousée – son enfance, ses rêves intimes, ses goûts et ses couleurs, ses joies et ses peines, ce qui l'attristait ou l'amusait, ce qui l'angoissait ou piquait sa curiosité.

Hélas ! au bout de treize ans, il se réveillait sans doute un peu tard.

Il s'emplit les poumons d'une bouffée d'oxygène frais et regarda autour de lui. Le paysage était dévasté, les arbres amputés de branches qui jonchaient un véritable bourbier, mais l'air était cristallin, comme lavé par l'ouragan. Hier, les mortels terrifiés avaient courbé l'échine devant une puissance supérieure ; ce matin, il leur fallait s'émerveiller qu'une telle furie puisse laisser dans son sillage autant de pureté, du ciel transparent jusqu'à la mer argentée.

Franchissant la passerelle, il descendit à travers la gadoue utiliser le lavabo installé dans l'atelier et s'assurer que son bois n'avait pas souffert.

Puis il revint à la péniche, remplit une gamelle de croquettes pour Beasley, se fit un café et entreprit de retirer les volets, sauf ceux de la chambre afin de laisser Vicki dormir. De toute manière, elle ne pourrait pas partir tant que les camions de la voirie n'auraient pas remblayé la chaussée avec des tonnes de gravier, ce qui serait probablement fait dans la journée. La mairie de Bayberry Cove vouait en effet une attention spéciale aux besoins du grand artiste de la région…

Vers 9 h 30, Jamie avait fini de déclouer les planches des fenêtres de l'atelier et remontait vers la péniche lorsqu'un bateau arriva sur les eaux désormais calmes du détroit : une vedette de la police, avec l'adjoint Blackwell à la barre et deux passagères à la poupe. Jamie reconnut de loin le rouge artificiel ardent des cheveux de sa mère et le long foulard jaune criard qui ne pouvait appartenir qu'à Bobbi Lee.

De quoi mettre du piment dans la matinée.

En règle générale, un homme était capable d'assumer une femme le matin. Mais quand il s'agissait de composer avec sa mère, son ex-maîtresse et son épouse tout à la fois, un représentant de la loi pouvait être le bienvenu dans les parages.

Jamie se porta au-devant du bateau qui accostait pour attraper l'amarre que Luther allait lui lancer. Sa mère était déjà prête à sauter sur le ponton avant même que le moteur ne soit coupé.

— Comment ça va, mon fils ? demanda-t-elle d'un ton anxieux pendant qu'il fixait le cordage à un anneau.

Lorsqu'il lui tendit la main pour l'aider à débarquer, il se trouva dévoré par ses yeux d'aigue-marine fouillant les siens avec ce radar que seules les mères possèdent.

— Tout va bien, maman, la rassura-t-il. Un peu de pagaille aux environs, mais pas de gros dommages.

— Pas de problème ? C'est bien vrai ? renchérit Bobbi Lee en scrutant les traits de son visage tandis qu'il l'aidait à son tour.

Jamie eut un recul instinctif alors qu'elle allait lui caresser la joue.

— Mais oui, dit-il. Et les garçons, ça a été ? Ils n'ont pas eu trop peur ?

— Eux ? Tu les connais. Si je ne les avais pas retenus, ils seraient sortis dans le jardin pour voir.

Luther Blackwell hissa son encombrante carcasse sur la plate-forme avec une agilité inattendue et grimaça un sourire penaud.

— Désolé ! Ces dames n'ont rien voulu entendre. Dès que j'ai montré le bout de mon nez au Kettle, elles ont exigé que je les amène ici sans même m'accorder le temps de boire mon café.

En temps normal, Jamie lui en aurait immédiatement proposé un.

— C'est le droit d'une mère de s'inquiéter, Luther, déclara Kate Malone en tapotant de l'index l'insigne de Protection des Citoyens cousu au bras de son uniforme.

— Moi aussi, j'ai le droit de m'inquiéter pour toi, affirma Bobbi Lee en s'accrochant au bras de Jamie.

Il se dégagea en riant.

— Pas plus que ça, Bobbi ! plaisanta-t-il du ton gentiment moqueur qu'il employait toujours lorsqu'elle jouait les possessives. Les garçons ont pu aller à l'école, ce matin ?

— Non. J'ai déposé Brian chez Shirley. L'école a besoin d'un bon nettoyage, il y a eu des fuites. Et la route du lycée n'est pas encore déblayée. Charlie est avec moi au Kettle, il me remplace momentanément.

Le fils aîné de Bobbi Lee détestait manquer des cours mais Brian, du haut de ses neuf ans, ne se plaignait sûrement pas d'une journée de liberté chez la maman de son meilleur ami.

Sentant qu'elle piaffait d'impatience d'entrer dans la péniche, Jamie se tourna vers Luther.

— Pas trop de dégâts, en ville ?

— Rien de grave. Quelques arbres déracinés, une ligne électrique qu'ils sont en train de réparer. Trent Hodkins a perdu la toiture de son hangar… et toi, la tôle a tenu ?

— De justesse. J'en ai été quitte pour un rafistolage en pleine tempête.

— Ton sycomore n'a pas pris l'eau ? s'inquiéta sa mère.

— Non, je l'ai bâché.

— Dieu merci ! J'ai autant prié pour ce bois que pour toi toute la nuit. Alors, tu nous le fais, ce café ? enchaîna-t-elle en extirpant de son fourre-tout un énorme sac de pâtisseries du Kettle. Luther attend les éclairs au chocolat que je lui ai promis s'il nous amenait ici.

Jamie contempla le *Bucket o'Luck*, qui venait de survivre à Imogène et qui allait avoir à affronter une autre sorte d'orage. Il n'avait aucune échappatoire possible. Bobbi Lee le poussait vers la péniche à coups de coude dans les côtes et sa mère, agitant son sac en papier pour attirer Luther à l'intérieur, réussit même à faire saliver un Beasley soudain pressé de rentrer lui aussi. Avec cette carcasse à nourrir, l'adjoint du shérif semblait avoir assez faim pour dévorer tout ce qui lui tomberait sous la dent.

Le préambule du mélodrame s'amorça sur la passerelle, quand Bobbi Lee propulsa son ongle verni de rose comme un missile vers l'appentis à l'orée du bosquet.

— Tiens, j'ai l'impression d'avoir déjà vu cette voiture !

La voiture rouge garée à côté de sa camionnette bleue avait dû lui sauter aux yeux comme une muleta à ceux d'un taureau de combat.

— Tu m'avais dit qu'elle n'était pas là, lui reprocha Bobbi Lee avec aigreur.

Anticipant les ennuis, Jamie secoua la tête.

— Non, je ne t'ai rien dit du tout. J'ai juste préféré éluder la question sur le moment. C'est une longue histoire…

Elle lui décocha un de ses regards furibonds que le statut amical de leur relation ne lui autorisait pas.

— Sûrement. Pour moi, elle a commencé hier matin au Kettle. Maintenant, j'aimerais la connaître en entier.

Vicki s'éveilla avec un petit soupir de contentement et, se sentant fraîche et dispose, s'attendit à ouvrir les yeux sur un rai du lumineux soleil de Floride. Elle papillota des paupières, les referma, les rouvrit. Obscurité totale.

Surprise, elle se redressa en sursaut. Un élancement de douleur lui rafraîchit la mémoire. Elle se trouvait dans le lit de Jamie Malone, à bord d'une péniche aux ouvertures masquées par des volets hermétiques.

Son horloge interne lui disant que le jour était levé, elle enfonça le poussoir de sa montre bracelet. Le voyant digital lui indiqua 9 : 48. Grand Dieu ! Vicki n'avait pas dormi aussi tard depuis des années, et il fallait que la panne d'oreiller se produise justement ce matin, dans le lit de Jamie Malone !

Posant avec précaution les pieds sur le parquet, elle testa sa cheville. Impossible de s'appuyer dessus. Au saut du lit, la douleur était beaucoup plus aiguë que la veille après la pose du bandage. Les béquilles pour prendre l'avion, Vicki n'y couperait pas.

Après avoir trouvé à tâtons l'interrupteur de la lanterne, elle attrapa ses cannes et clopina jusqu'à la porte de la salle de bains ; là, elle se sentit renaître. La lumière du jour entrait à flots à travers les rideaux. Le volet avait disparu.

Elle en profita pour examiner attentivement son visage dans la glace, y cherchant la vérification de l'un des couplets favoris de sa mère : « La honte est inscrite sur toute ta figure, ma fille. »… Erreur fatale d'adolescente, que d'essayer de gommer les traces d'un crime que seule une mère pouvait voir – et ce d'autant mieux que les lèvres avaient été frottées pour qu'il ne se voie pas !

Toutefois, à l'évocation du baiser d'hier soir, tout ce que Vicki voyait d'inscrit sur sa figure en guise de honte était une roseur coquine à ses joues, une étincelle dans ses prunelles et une ombre de sourire qu'elle ne parvenait pas à contrôler. Vicki s'était déjà absoute en ressassant la question avant de s'endormir. Elle n'avait rien à se reprocher : elle n'était pas responsable des actes de Jamie. C'est lui qui avait eu un geste déplacé qu'elle n'avait ni sollicité ni encouragé.

La seule once de culpabilité pouvait éventuellement provenir de cette indéniable petite sensation de plaisir rétrospectif, qui l'avait empêchée de trouver le sommeil, et qui réapparaissait dans le miroir ce matin. Cela dit, elle allait rapidement laver sa conscience en exigeant une signature sur ses papiers de divorce.

Elle s'aspergea le visage et se brossa sommairement les cheveux. Elle allait envoyer Jamie chercher son sac, s'habillerait de propre et, puisqu'il avait un téléphone de voiture et qu'elle était éclopée, elle pourrait probablement se faire rapatrier sur le continent par une vedette des urgences sanitaires.

Dès qu'elle serait en route pour l'aéroport, Jamie Malone retomberait aux oubliettes et son baiser impulsif s'effacerait aussi vite que la réaction incongrue qu'il avait suscitée.

En traversant la chambre, Vicki était si profondément abîmée dans ses cogitations que le bruit des voix n'atteignit son cerveau qu'au moment où elle tournait la poignée de la porte. Elle se dit : « Chouette, la télé, l'électricité est revenue ! » et ouvrit tout grand avec un sourire radieux.

Elle chancela sous le coup de la surprise, absorbant le tableau et se visualisant elle-même en scène – illuminée de soleil, appuyée sur ses cannes, en bermuda flottant sur le seuil de la chambre de Jamie – point de mire des spectateurs attablés devant café et pâtisseries, et dont les regards avaient convergé vers elle avec une fascination manifeste.

Vicki en connaissait au moins deux. Presque trois, car l'hercule en uniforme devait être l'adjoint dont elle avait aperçu la silhouette dans le brouillard. Quant à la petite femme rondelette entre deux âges, à chevelure rouge pompiers, serait-elle la maman venue d'Irlande ?

— Un beignet, ma chère ? proposa celle-ci, rompant de son accent irlandais une minute de silence sidéral.

Abasourdie, Vicki ne parvint même pas à répondre à une question aussi simple. Jamie vint à la rescousse.

— Voici mon épouse, dont je vous ai parlé, annonça-t-il à la ronde. Tu as bien dormi, Vicki ?

Vicki hocha la tête, notant que le tutoiement était de mise. Cela devait signifier qu'il avait parlé de son épouse, mais pas des conditions de leurs épousailles.

— Tu connais déjà Bobbi Lee...

Elle salua la serveuse du Kettle, qui la jaugeait en plissant les yeux comme si elle était en train de lui imaginer une corde de potence autour du cou. Vicki se félicita de la discrétion de Jamie à propos de leur mariage ; cette tigresse aurait été capable de la dénoncer à l'INS.

Jamie poursuivit les présentations.

— Ma mère, Kate Malone, que malheureusement tu n'avais pas eu l'occasion de connaître...

Cette dernière la buvait des yeux avec une expression indéchiffrable.

— Et Luther Blackwell, shérif en second de notre éminente Division de Police de Bayberry Cove.

— Va, m'dame ? Pas trop de casse ? plaisanta gentiment l'hercule.

L'esprit trop accaparé à spéculer sur ce que ces gens pouvaient penser en la voyant sortir toute guillerette de la chambre de Jamie affublée de ses sous-vêtements, Vicki ne produisit qu'un sourire crispé.

Kate Malone écarta une chaise de la table.

— Ne restez pas debout, ma jolie. Venez vous asseoir à côté de moi.

Vicki lança à Jamie une œillade exprimant tout ce qu'elle ne pouvait formuler autrement dans cette situation délicate.

— Imprévu, lui chuchota-t-il à l'oreille en dégageant une deuxième chaise et en l'aidant à y allonger sa jambe.

Reprenant sa propre place, il parla aux autres en la regardant, lui faisant comprendre qu'il se répétait à son intention afin de la mettre au parfum du topo.

— Comme je vous le disais, nous nous sommes mariés en Floride il y a treize ans. Nous étions un peu jeunes et nous n'avions pas tout à fait les mêmes ambitions. Vicki était une battante et moi, je ne rêvais que de vivoter dans un coin tranquille… Nous nous sommes séparés un an plus tard, avant l'arrivée de maman…

— Je l'ai toujours regretté, intervint Kate Malone en lui servant à Vicki du café et un beignet.

— Merci, je n'ai pas très faim…

— Mangez, mon enfant. Jamie a laissé entendre que vous n'aviez pas dîné, hier soir.

Bobbi Lee étouffa un ricanement ironique.

— Je n'arrive pas à y croire. Vous vous êtes perdus de vue depuis douze ans et vous êtes toujours mariés ?

— Oui, mais pas pour longtemps, la rassura Vicki.

La blonde gironde s'adoucit sensiblement.

— Vous voulez divorcer ?

Vicki consulta Jamie du coin de l'œil. Il resta de marbre, la laissant répondre à sa guise.

— Oui, c'est précisément l'objet de ma visite. J'ai apporté notre convention de divorce.

Là-dessus, elle avala une rasade de café, cherchant un apaisement dans la chaleur du breuvage. Elle puisa un second réconfort dans l'arrivée de Beasley qui vint poser le museau sur sa cuisse.

— Vous allez vous remarier ?

Cette fois, Jamie intervint.

— Tu deviens indiscrète, Bobbi. Peut-être qu'un jour vous lierez amitié mais, à ce stade, la vie privée de Vicki ne te concerne pas.

Soutenue par Jamie, Vicki reprit ses esprits. Subitement, quelque chose la frappa. Comment tous ces gens étaient-ils arrivés à Pintail Point ?

— Est-ce que le chemin est réparé ? demanda-t-elle.

— Oh non ! répondit Luther. Il faudra au moins six camions de gravier, et comme la voirie va être débordée sur les routes, Jamie ne les verra pas avant ce soir.

— Alors vous êtes venus en bateau ?

Luther Blackwell acquiesça.

— Oui. Et faut pas qu'on traîne ! rappela-t-il à la cantonade. Le service peut avoir besoin de la vedette.

Vicki sauta fougueusement sur l'opportunité.

— Est-ce que je pourrais repartir avec vous ?

L'adjoint soupesa sa requête.

— Je n'y vois pas d'inconvénient.

S'adressant à Jamie, elle en bafouilla d'excitation.

— V... tu peux aller chercher mon sac, que je me change ?

— Volontiers, dit-il, imperturbable. Mais tu oublies un petit détail qui pourrait déjouer tes plans d'évasion.

— Quel détail ?

— Ta voiture de location.

Tous autour de la table comprirent qu'il y mettait de la mauvaise volonté, Bobbi Lee la première.

— Aucun problème, Jamie ! affirma-t-elle. De toute façon, avec son entorse, elle est obligée de regagner Norfolk en bus ou en taxi ; elle ne pourra pas conduire avant plusieurs jours. Si tu as trop de travail pour t'en occuper, je la ramènerai à l'agence, moi, sa voiture.

La serveuse du Kettle jubilait, son sourire redevenu aussi radieux que le soleil.

— Je ne voudrais pas vous déranger, protesta mollement Vicki.

— Vous ne me dérangez pas ; c'est moi qui le propose. Je suis contente de vous rendre service. Vraiment.

Vicki n'avait aucun doute sur les raisons de son empressement, mais peu lui importait. Elle avait un avion à prendre.

— Je vous dédommagerai pour votre transport de retour…

— Pensez-vous ! Je trouverai facilement un volontaire qui me suivra jusqu'à Norfolk et en profitera même pour m'inviter à dîner.

A quoi rimait cette allusion ? Dans le contexte, il ne s'agissait apparemment pas de Jamie. Cette femme essayait-elle d'attiser sa jalousie ?

— Et comment vas-tu te débrouiller avec tes bagages ? Tu oublies ta cheville, intervint Jamie qui semblait ne prêter aucune attention aux manœuvres de sa maîtresse.

106

Ils entretenaient des rapports étranges, pour des amants, songea Vicki, tandis que la blonde providentielle répondait encore à sa place, avec une solution à tous les problèmes.

— Des béquilles ! Je vais demander au dispensaire de lui en prêter… Vous n'aurez qu'à les laisser à l'agence de location et je les reprendrai en rapportant votre voiture. A l'aéroport, la compagnie vous en fournira d'autres. Vous rencontrerez bien une âme charitable pour vous aider là-bas, ma pauvre…

Sans quitter Vicki des yeux, Jamie leva les paumes en un geste de résignation, la laissant maîtresse de ses décisions.

Vicki dédia à Bobbi Lee un sourire dosé.

— Eh bien merci, alors. Les papiers sont dans la boîte à gants. J'ai fait le plein, et ils ont mon numéro de carte bancaire pour me restituer la provision ; vous n'aurez pas d'autre formalité… Les clés sont dans la poche de ma veste, ajouta-t-elle à l'adresse de Jamie en indiquant la patère.

Jamie hocha la tête, puis se dirigea vers la porte. Luther Blackwell lui emboîta le pas.

— Ne soyez pas trop longues, mesdames, dit-il. Je vais retourner à la vedette voir si j'ai des messages radio. Je vous y attends.

Kate Malone froissa le sac de pâtisseries vide en s'adressant à Bobbi Lee qui semblait vouloir s'incruster :

— Vas-y aussi, Bobbi. Je vous rejoins dans une minute. J'aimerais échanger quelques mots avec ma belle-fille, et nous devons laisser un peu d'intimité à Jamie et sa femme avant son départ.

Bobbi Lee ouvrit une bouche prête à protester, mais l'œil sévère de la maman irlandaise l'en dissuada. Dès qu'elle fut sortie, Kate, penchée sur Vicki, égrena son accent roulant dans un débit précipité.

— Nous n'avons qu'un instant, je fais vite. Etes-vous vraiment contente de ces arrangements ? Vous êtes si pressée de partir ?

Contente ? Vicki n'évaluait pas sa décision en termes de contentement. Son bonheur résidait à mille cinq cents kilomètres de Pintail Point ; bien sûr qu'elle était heureuse de rentrer chez elle ! Alors pourquoi cette question la troublait-elle ainsi ?

Ces vingt-quatre heures épiques resteraient sûrement gravées dans sa mémoire à tout jamais. Vicki devait s'avouer qu'elle n'oublierait plus aussi facilement l'étranger avec lequel elle était restée mariée treize ans. Elle avait découvert un homme plus complexe, plus captivant qu'elle ne l'aurait imaginé – engagé, solide, protecteur, un peu dirigiste – mais qui se satisfaisait d'un style de vie primaire dans un trou perdu et d'un modeste métier consistant à fabriquer des jeux en bois...

Non. Elle n'avait décidément rien en commun – et rien à faire – avec Jamie Malone.

— J'ai déjà raté mon avion de midi à cause de l'ouragan, dit-elle. J'ai peut-être une chance d'attraper le prochain, en comptant sur l'efficacité de Bobbi Lee.

Kate lui tapota la main avec un fin sourire.

— Ne vous méprenez pas sur Bobbi Lee.

— Je ne suis pas une menace pour elle, vous savez...

Le regard limpide de Kate transperça le sien.

— Et elle n'est pas une menace pour vous.

Qu'est-ce que cela voulait dire ? se demanda Vicki.

— Euh... non, bien sûr que non.

— Bobbi Lee ne sait rien à propos de votre mariage. Seul mon patron est au courant, dans la région.

Les yeux pers de Kate Malone miroitèrent d'une myriade d'émotions.

— Je suis heureuse d'avoir l'occasion de vous remercier, Vicki. Sans vous, je ne serais pas ici. J'ai souvent pensé à vous, pendant toutes ces années. Ce que vous avez fait pour mon fils était d'une générosité qu'une mère ne peut pas oublier.

Cette femme ne savait-elle pas que son fils l'avait payée ?

— Non, vraiment, je ne mérite pas…

— Je ne sais pas ce que Jamie serait devenu, si vous ne l'aviez pas épousé. Vous a-t-il parlé de ses frères ?

Vicki hocha la tête. Le visage de Kate Malone fut traversé d'une mystérieuse lueur de plaisir.

— Il ne se livre pas facilement, mais en le voyant avec vous, j'ai eu ce pressentiment… passons, éluda-t-elle. Donc, vous savez de quoi vous l'avez sauvé. La prison n'est pas un endroit pour mon Jamie.

Un bruit de pas résonna sur la passerelle. Kate parla plus vite, baissant la voix d'un ton.

— Vous avez permis à mon fils de vivre selon son cœur, et son cœur l'a amené sur ce petit coin de terre. Qui sait si ce n'est pas le vôtre qui vous y a amenée aussi ?

— Oh non ! madame Malone, la détrompa Vicki les lèvres tremblantes. Ce n'est pas mon cœur qui m'a amenée. Enfin, pas dans le sens où vous l'entendez. Je suis venue pour…

La porte s'ouvrit sur l'objet de leur conversation qui, sans un regard, alla déposer son sac de voyage dans la chambre.

— J'ai compris vos raisons, chérie, chuchota Kate en pressant la main de Vicki dans la sienne. Mais souvenez-vous que le cœur suit ses propres voies.

*
* *

Dix minutes plus tard, en sortant de la chambre, Vicki Sorenson était redevenue la femme qu'elle était hier à son arrivée. Tailleur pantalon anthracite, pull de cachemire gris perle au col en V, chaînette d'argent avec une simple rose en pendentif à la pointe du décolleté, elle avait relevé ses cheveux souples dans une pince. Elle incarnait toujours ce fascinant mélange d'innocence et de sophistication qui donnait envie de savoir quelle était la vraie Vicki.

Les deux, sans doute, et aussi désirables l'une que l'autre, supposa Jamie, frustré de ne pas avoir eu le loisir d'explorer toutes ses facettes.

En lui prenant son sac, il s'aperçut qu'elle ne portait qu'un de ses mocassins abîmés, et une pantoufle à son pied blessé.

— Je suis navré pour vos belles chaussures, dit-il avec un rictus de dérision.

Elle lui décocha un coup d'œil espiègle, au diapason de son humour douteux.

— Ce n'est pas grave, Imogène aurait pu faire pire.

Jamie reprit son sérieux.

— Votre aide m'a été très précieuse, hier, Vicki. Je suis sincèrement désolé que vous n'emportiez qu'une cheville foulée en souvenir.

— Vous l'avez admirablement soignée. Dans quelques jours il n'y paraîtra plus et l'entorse ne sera pas mon souvenir le plus marquant. Combien de fois en une vie a-t-on la chance de se trouver prisonnière d'un ouragan de force 2 ? Le spectacle valait certainement la peine...

Jamie posa son sac devant le bar afin de décrocher sa veste. Avant qu'il se retourne, elle leva les yeux sur lui avec un sourire.

— Je n'oublierai jamais mon passage à Pintail Point, Jamie.

— Moi non plus, je ne l'oublierai jamais.

Il caressa sa joue d'une main légère, juste pour voir si elle allait reculer. Elle ne bougea pas, ses yeux d'azur restant au contraire accrochés aux siens, avec une intensité qui semblait combler en lui treize ans de manque latent, comme si Vicki avait appartenu à son quotidien depuis le jour de leur mariage.

— Je vous souhaite le meilleur avec M. Mari n° 2.

Les lèvres de Vicki formèrent une moue délicate.

— Graham. Le mari n° 2 porte un nom.

— Et un beau nom, qui plus est. Il évoque la vieille aristocratie anglaise, un châtelain droit comme un i, sanglé dans une veste de tweed avec des pièces de cuir aux coudes.

Jamie dessina le décor dans l'espace.

— Je le vois, là, avec sa pipe à la bouche, les poings sur les hanches, campé sur une colline battue par les vents, à surveiller son domaine.

Le genre de type à peu près aussi utile que des plumes sur un crapaud, songea-t-il.

Il redescendit les mains sur les bras de Vicky, massant doucement les manches de son pull, et sentit un frisson la parcourir.

— C'est donc écrit, Vicki ? Nous ne nous reverrons plus ?

La question parut la surprendre.

— Non, je suppose, balbutia-t-elle.

— J'avoue que l'idée m'attriste. Mettre fin à une si longue relation qui, malgré sa durée, n'a jamais vraiment commencé...

— Jamie...

— Cela pousse un homme à se demander ce que la vie aurait pu être si...

— Oh non ! l'interrompit-elle d'une petite voix. Ça n'aurait jamais marché entre nous… Nous ne poursuivons pas les mêmes objectifs…

Elle laissa errer son regard dans la péniche, un regard évaluateur, mais ni hautain ni méprisant.

— En êtes-vous sûre ? Le baiser d'hier soir m'obsède. Peut-être n'est-ce qu'une illusion de mari n° 1 répudié, mais je ne cesse de me demander si, pendant cet infime laps de temps, nous n'avons pas désiré la même chose.

Les joues de Vicki s'empourprèrent.

— Vous lisez trop de romans, plaisanta-t-elle. Je n'y ai accordé aucune importance.

— Pourrez-vous le confirmer dans le baiser que je vais vous donner maintenant ?

Elle battit des cils. Ses lèvres s'entrouvrirent mais aucun son n'en sortit. L'encerclant de ses bras, Jamie descendit sa bouche sur la sienne, l'effleurant à peine, prêt à se replier si elle se dérobait. Au lieu de quoi, il rencontra une pulpe douce et docile, engageante. Il accentua prudemment la pression et le petit râle qu'elle laissa échapper l'emporta. Lui saisissant la nuque, Jamie l'embrassa comme un damné puis se détacha comme un amant maudit condamné à ne jamais faire l'amour avec sa femme.

— Vous n'auriez pas dû…, murmura-t-elle.

— Probablement pas. Mais il n'y a pas une fibre en moi qui le regrette.

Vicki déglutit péniblement comme si la salive lui manquait.

— Eloignez-vous de moi. Prenez ma veste et ouvrez-moi la porte, s'il vous plaît.

Jamie s'exécuta et ils sortirent sur le pont. Au moment où ils atteignaient la passerelle, Vicki virevolta si brusquement sur ses cannes qu'elle faillit éborgner Beasley collé à ses talons.

— Mon divorce ! Vous n'avez pas signé les papiers ! Où sont-ils ? Vite ! Allez les signer et apportez-les-moi !

Jamie avait jeté le classeur sur son bureau et l'avait complètement oublié. Un état proche de la panique lui noua les tripes. Son côté rationnel lui commandait de signer parce que le divorce était inévitable – puisque Vicki le voulait, il ne pouvait que s'incliner – mais son côté émotionnel, celui qui venait de l'embrasser et ne demandait qu'à recommencer, cherchait frénétiquement un moyen de retarder l'inévitable.

— Je n'ai pas eu le temps de les lire, tergiversa-t-il.

Elle écarquilla les yeux.

— C'est une convention standard. Je ne vous réclame rien, c'est une rupture propre. Vous ne me faites pas confiance ?

Il haussa les épaules.

— A vous si, bien sûr. Mais comment savoir si je peux me fier à vos avocats ? Un homme avisé ne signe jamais aucun document sans en avoir pris connaissance.

— Etes-vous en train de me dire que vous refusez de signer ?

Comme il aurait aimé entendre une pointe d'espoir dans sa question ! Hélas ! sa voix ne tremblait que d'angoisse et d'ahurissement.

— Non, je vais les signer, bien sûr.

— Quand ?

— Dès que mon avocat y aura jeté un coup d'œil.

Les yeux de Vicki s'arrondissant à l'idée que Jamie Malone puisse avoir un avocat, il précisa :

113

— Ma mère travaille comme gouvernante chez le maire de Bayberry Cove, qui est procureur de son métier. Ce n'est qu'une simple précaution, Vicki.

Et une absurde tentative pour gagner du temps, comme s'il n'était pas trop tard pour se mettre à explorer les potentialités de ce mariage hors du commun…

— Dès que Haywood les aura parcourus, je signe et je vous les envoie. Votre adresse figure dessus.

Et il la connaissait déjà par l'agence Raleigh…

— Vous le ferez ? Vite ?

— Je vous en donne ma parole. Vous l'aurez, votre divorce.

Un coup de corne retentit à l'extrémité du ponton, doublé de la voix tonitruante de Luther :

— On y va ! Appel radio ! Le shérif a besoin de la vedette !

— Bon. Au revoir…

Tandis qu'elle reprenait appui sur ses cannes, Beasley poussa de la truffe dans le creux de sa main.

— Il sait que vous partez ; il demande que vous lui disiez « A bientôt ». C'est ce que je lui dis toujours quand je pars sans lui.

Elle ébouriffa la tête du chien, mais ses yeux restèrent plantés dans les siens.

— Vous savez que je ne peux pas lui dire ça.

Jamie prit un malin plaisir à évoquer certaine conversation téléphonique avec le nommé Graham.

— Alors, quand le cœur d'un pauvre animal est en jeu, vous éprouvez une soudaine aversion pour le mensonge ?

— Non, j'ai simplement trop de respect pour l'intelligence de Beasley, rétorqua-t-elle sans même mesurer le poids de ses paroles.

Jamie aurait pu éclater de rire si cet aveu inconscient sur l'intellect du fameux Graham ne l'avait autant effrayé. Avec quel genre de butor Vicki allait-elle engager sa vie ?

La question lui trottait toujours dans la tête pendant qu'il agitait la main en regardant la vedette s'éloigner. Des trois femmes groupées à la vitre du cockpit, il n'en voyait qu'une, dont les traits gravés dans sa mémoire n'avaient certainement pas fini de le hanter.

Sourde au papotage de Bobbi Lee qui, étant parvenue à l'extraire de Pintail Point, arguait à présent de son service au Kettle pour que Kate Malone la prenne en charge, Vicki regardait s'éloigner la silhouette de Jamie et la péniche blottie dans son oasis aux couleurs automnales.

Elle ne s'attendait certainement pas à éprouver cette inexplicable mélancolie en quittant Jamie Malone. Par contre, elle avait compté repartir avec les papiers de son divorce en main, ce divorce qui lui permettrait d'épouser l'homme qu'elle aimait.

Pourtant, au fur et mesure que le *Bucket o'Luck* rapetissait jusqu'à paraître se noyer dans l'eau des marais, de toutes les parties de son être, ce n'étaient pas ses mains qui lui paraissaient le plus vides.

7.

Les nerfs à fleur de peau, Vicki s'agitait. Pas seulement à cause de l'entorse qui la maintenait clouée dans un fauteuil d'avion ; le tumulte intérieur était pire que l'inaction. Il lui semblait que sa vie entière était prise dans un ouragan qui ne lui laisserait plus jamais un instant de répit. Cette étrange sensation ne l'avait pas quittée depuis qu'elle avait vu Pintail Point disparaître à l'horizon hier matin.

Le pire restait encore à venir, songea-t-elle, redoutant ce qui l'attendait – ou ne l'attendait pas – à l'arrivée. Elle craignait d'avoir commis une lourde erreur en ne parlant pas de sa blessure. Enlisée dans les mensonges jusqu'au cou, elle avait manqué d'inspiration lorsqu'elle avait eu Graham au bout du fil ; il était déjà assez furibond comme ça.

Vicki ne pouvait s'en prendre qu'à elle-même. Aussitôt débarquée à Bayberry Cove, dès qu'elle avait pu mettre la main sur un téléphone, elle lui avait annoncé son retour en Floride le soir même. Après quoi, chaperonnée par Kate Malone qui avait insisté pour qu'elle se fasse soigner, elle avait passé deux heures au dispensaire à se faire bichonner la cheville et poser trois points de suture sur la jambe. Malheureusement, elle n'avait pas pensé aux dégâts causés par Imogène sur les petites routes sinueuses et le bus n'avait atteint Norfolk qu'à 18 heures. Pour couronner le tout, en raison des départs annulés la veille, tous les vols en partance affichaient complet.

Quand elle avait rappelé Graham de l'hôtel Ramada pour l'informer de son nouveau retard, il n'était pas à prendre avec des pincettes.

Le lendemain, au moment du départ, cerise sur le gâteau, la compagnie se trouvait en rupture de stock de béquilles à prêter. Vicki devait être évacuée en fauteuil roulant lorsque tous les passagers auraient débarqué. Tel qu'elle connaissait Graham, il était capable de repartir s'il le ne la voyait pas apparaître dans le peloton des passagers. S'il avait la patience d'attendre, elle n'osait imaginer le choc qu'il éprouverait quand il la verrait dans un fauteuil roulant, poussée par un membre du personnel.

La voix feutrée d'une hôtesse émana des haut-parleurs.

— Mesdames et messieurs, veuillez attacher vos ceintures...

L'appareil amorça sa descente sur Fort Lauderdale, atterrit sans heurt, ralentit sur le tarmac et alla s'arrêter devant le terminal. Vicki rongea son frein tandis que le branle-bas de combat se déclenchait alentour, les voyageurs rassemblant leurs affaires et s'agglutinant dans l'allée en attendant l'ouverture des portes.

Un bon quart d'heure s'écoula avant qu'un steward ne se présente enfin avec le fauteuil redouté. Il l'aida à s'y installer, lui entassa ses bagages sur les genoux, et la véhicula vers la sortie.

Je t'en supplie, Graham, sois là ! pria-t-elle en silence. Elle se voyait déjà, à cloche-pied dans la cohue, en train de héler un taxi en jonglant avec ses sacs...

Ouf ! Graham était là. Debout devant les baies vitrées surplombant les pistes, il regardait alternativement sa montre et l'avion duquel Vicki venait de sortir. Grand, blond, avec les reflets du soleil de fin d'après-midi dans ses cheveux savamment décoiffés et son profil aristocratique aux traits délicatement ciselés, Graham Townsend était simplement, irréfutablement splendide. Il éclipsait tous les hommes à la ronde, tel Pégase le magnifique parmi des chevaux de labour.

Tel un châtelain anglais surveillant son domaine du haut d'une colline battue par les vents...

Vicki tenta de refouler cette pensée aux confins de son esprit, de la même façon qu'elle essayait d'en chasser Jamie depuis hier matin, c'est-à-dire sans succès.

Pourtant, Graham était loin de correspondre au stéréotype du hobereau terrien. Patron d'une société d'import-export internationale, il était américain jusqu'au bout des ongles ; toute ressemblance avec un gentleman-farmer du style british guindé n'était qu'élucubration d'Irlandais.

De profondes rides d'agacement gâchaient toutefois la perfection de son visage. Il consulta une fois de plus sa montre, tira sur les revers de son manteau de sport en daim, et se dirigea vers les détecteurs de métaux. C'est alors qu'il capta Vicki à la périphérie de son champ visuel.

Il se tourna vers elle d'un bloc, resta un moment pétrifié, puis se précipita.

— Grand Dieu ! Victoria, que t'est-il arrivé ?

— Vous tombez bien ! exulta le steward pressé de déléguer la corvée. J'allais la déposer à la pharmacie qui loue des béquilles. Ensuite, il faudra rapporter le fauteuil au bureau de la compagnie. Vous pouvez prendre la relève ?

Graham hésita une dizaine de secondes avant de savoir quoi répondre.

— Euh... oui. Bien sûr, oui, je m'en occupe.

Déjà l'employé de la compagnie s'esquivait.

Graham considéra Vicki avec la mine consternée d'un adulte plein de mérite en charge d'un galopin intenable.

— Quelle catastrophe vas-tu encore m'annoncer, Victoria ? Ne me dis pas que tu t'es cassé quelque chose !

— Non, Graham. Je n'ai rien de cassé, sauf peut-être ma dignité. Mais elle s'en remettra, et mon entorse aussi.

— Une entorse ! A dix jours de ton ouverture, tu ne pouvais pas faire attention ? Comment as-tu fait ton compte ?

Heureusement, il passa derrière elle pour pousser le fauteuil, ce qui permit à Vicki de répondre sans avoir à subir son regard.

— C'est arrivé bêtement, comme la plupart des accidents. Je… je courais sous une pluie battante et j'ai glissé, c'est tout. Un bon samaritain m'a ramassée et une aimable passante m'a emmenée au dispensaire.

Pas un seul mensonge… Elle était tombée sous la pluie, Jamie s'était incontestablement comporté en bon samaritain, et Kate, en passant, avait eu l'amabilité de l'emmener au dispensaire.

— Tu vas garder ces béquilles combien de temps ?

— Le médecin a parlé d'une semaine, mais j'en serai sûrement libérée plus tôt. Ce n'est pas un drame, Graham.

— Et comment vas-tu te déplacer ?

— Je demanderai à Hazel ; elle me servira de chauffeur pendant deux jours. Comme ce n'est que le pied gauche, je pourrai certainement conduire avant lundi.

— Si le container arrive d'Amsterdam ce week-end, tu ne seras pas au magasin pour le réceptionner ?

— Mais si, Graham ! Je viens de te dire que samedi Hazel me conduirait, et que dimanche je me débrouillerai.

Graham exhala un profond soupir. Il cessa de pousser le fauteuil, le contourna et vint se pencher sur elle.

— Bien sûr, chérie…

Il lui prit une main et en massa le dos avec son pouce.

— Je dois te paraître horriblement insensible, mais tu comprendras que je sois anxieux avec tout ce que j'ai investi dans… et je me suis tellement inquiété pour toi, se reprit-il. Comment te sens-tu ? Tu ne souffres pas trop ?

Si, aurait-elle voulu répondre. Elle souffrait un peu que son futur fiancé manifeste plus d'inquiétude pour une cargaison d'antiquités que pour sa blessure, mais, puisqu'il semblait faire amende honorable, elle pardonna et lui sourit.

— Non, je suis surtout contente de rentrer, affirma-t-elle, déterminée à s'en convaincre elle-même.

En franchissant le portail en fer forgé, Jamie capta un reflet du soleil dans les fenêtres en ogive du manoir de Haywood Fletcher. L'allée serpentait au milieu d'érables et de chênes centenaires chamarrés de bruns, de pourpre et d'or. En temps normal, cette débauche de teintes automnales aurait envoûté son œil d'artiste mais, en ce superbe vendredi matin, Jamie broyait du noir.

Il ne pouvait s'empêcher de lorgner ce maudit document jaune paille posé sur le siège à côté – une mince liasse de papiers qui, de manière incompréhensible, lui apparaissait comme un monstrueux obstacle à quelque vision chimérique de son bonheur futur.

Depuis deux jours que Vicki était partie, aussi éphémère que l'ouragan, Jamie éprouvait un trouble insensé. Il avait espéré que son délire se calmerait, mais ces sentiments surgis de nulle part s'incrustaient avec autant de persistance que le parfum des baies de jojoba sauvage qui saturait l'air.

Quoi de plus ridicule que de s'amouracher d'une femme qui s'était entichée d'un autre ? Pis encore lorsqu'il s'agissait de *votre* femme et que vous aviez attendu treize ans pour vous intéresser à elle ! Jamie avait beau se raisonner, il lui semblait qu'il ne pourrait plus jamais vivre en paix s'il laissait Vicki Sorenson lui échapper sans avoir cherché à mieux la connaître.

Il gara son pick-up sur le terre-plein, gravit les marches de pierre et, comme toujours, la porte lui fut ouverte avant qu'il ne pose la main sur le lourd heurtoir de bronze.

Rudy Williams, majordome de Haywood depuis trente ans, était constamment à l'affût de ce qui se passait sur son hectare de propriété. Tenant un aussi grand rôle que son patron à Bayberry Cove, Rudy s'enorgueillissait également du titre de chauffeur, quoique nul ne comprît pourquoi ; le maire conduisait lui-même, sans aucun respect des limitations de vitesse.

Toujours impeccablement soigné, de ses cheveux blancs en brosse à la pointe de ses souliers noirs, ses yeux gris reflétant une sincère affection, il accueillit Jamie avec ce large sourire qui illuminait son visage carré d'Irlandais haut en couleur.

— B'jâr, m'sieur James, chantonna-t-il avec son accent à couper au couteau. Venez voir vot' m'an, ce matin, ou M. Fletcher ?

— Le chef en personne, répondit Jamie. Mais, connaissant ma mère, elle ne va pas tarder à apparaître avec un plumeau en prétextant avoir oublié un grain de poussière.

Rudy étouffa un gloussement.

— V' connaissez bien vot' m'an. Allez-y. M. Fletcher est dans le studio du fond.

Jamie traversa le vestibule et longea le couloir jusqu'à la vaste pièce occupant l'aile ouest de la maison. La porte était ouverte ; il frappa et attendit poliment sur le seuil.

— Entre, Jamie ! Entre, fils, lança la voix puissante de Haywood.

Le procureur était assis à son bureau, en angle entre deux murs tapissés de livres du sol au plafond et face aux baies vitrées donnant sur les jardins – des jardins qui avaient repris vie au fil des ans, depuis que Kate Malone tenait les rênes de l'intendance.

Un sourire incurva les pointes de sa moustache.

— Alors, quelqu'un te poursuit, J.D. ?

— Plutôt le contraire. Quelqu'un me demande le divorce.

Visiblement amusé, Haywood se carra dans son fauteuil.

— Il paraît que cette petite supercherie au permis de séjour t'est revenue en boomerang avec l'ouragan, mardi dernier ?

— Vous pouvez le dire.

Jamie lui glissa le document à travers le bureau avant de s'installer dans un fauteuil. Haywood ne jeta qu'un coup d'œil sur la couverture cartonnée.

— Qu'est-ce qu'elle veut ? Si elle a eu vent de ta réussite et qu'elle essaye de t'attribuer des torts dans l'espoir de toucher le pactole, elle peut toujours courir. Elle n'a pas le moindre argument légal. A moins…

Il haussa un sourcil soupçonneux.

— Ce mariage n'a jamais été consommé, n'est-ce pas ?

Jamie fut certain que sa mère avait percé ses sentiments à jour et qu'elle n'avait aucun secret pour cet homme-là.

— Justement, répondit-il. Vicki ne demande rien, c'est ça, le problème.

— Là, je ne te comprends plus, mon garçon. Tu es en train de me dire que tu préférerais qu'elle essaye de te plumer ?

A soixante-huit ans, Haywood Fletcher était toujours considéré comme l'un des meilleurs magistrats du district.

Quand il décidait de soutirer un aveu, le pauvre loustic sur la sellette n'avait aucune chance de s'y soustraire.

— Non. Je dis que je préférerais que le divorce ne soit pas aussi simple que cette convention le prétend.

— Explique-toi.

— Il se pourrait que je ne veuille pas de divorce du tout, Haywood. J'ai besoin de temps pour y voir plus clair.

Son vieil ami commença à feuilleter l'objet du dilemme.

— Cette jeune femme semble avoir produit une vive impression sur tous ceux qui l'ont approchée. Une rumeur circule en ville… on raconte avec quel empressement Bobbi Lee a offert un sac repas à Mme Jamie Malone et l'a poussée hors du territoire sur une jambe.

Comme toutes les petites bourgades, Bayberry Cove se nourrissait de potins plus ou moins nocifs. Neuf ans plus tôt, c'était pour faire taire des commérages plus sordides que Jamie avait affiché une amitié indéfectible à l'égard de Bobbi Lee. Aujourd'hui, il déplorait simplement qu'elle se soit encore ridiculisée. Il soupira.

— Bobbi n'en ratera jamais une !

Puis il se pencha, les coudes sur les genoux.

— Sérieusement, Haywood, pourriez-vous détecter une faille dans ces papiers ?

— A première vue, c'est du béton.

— Pas même une broutille à contester, qui me permettrait de lambiner un peu avant de signer ?

Le vieux renard l'épingla d'un regard acéré tout en lissant sa moustache.

— Si ta femme veut sa liberté, j'en déduis que son cœur est pris.

Jamie grimaça.

— Sa tête, oui. Son cœur, ça reste à voir... d'autant qu'en ce qui me concerne, elle n'a pas de point de comparaison. Je ne peux pas dire que notre mariage ait été très romantique.

— Ah oui ! J'oubliais que ces dames aiment toujours être courtisées, ironisa Haywood. Le féminisme n'a pas changé grand-chose là-dessus... Bon, épluchons voir ce document.

Pendant qu'il s'absorbait dans sa lecture, Jamie prit un magazine de pêche sur la table basse. Les minutes s'écoulèrent, s'étirèrent. Le masque impassible du procureur ne laissait rien transparaître.

Son verdict tomba tel un couperet à la dernière page.

— Je tire mon chapeau à l'avocat qui a rédigé ce bijou.

Jamie eut l'impression que son univers s'écroulait.

— Avocate, rectifia-t-il avec aigreur au moment où sa mère entrait.

Il fut surpris qu'elle soit parvenue à se tenir à l'écart si longtemps.

— Bonjour, mon grand. J'ai pensé que ces messieurs pourraient avoir envie d'un café, minauda-t-elle en déposant son plateau en argent sur la table basse.

Les yeux de Haywood se plissèrent.

— Sapristi ! Cette femme-là m'interdit plus d'un café par jour, et voilà qu'aujourd'hui j'en ai deux dans la matinée ! Kate Malone, vous êtes aussi transparente que les carreaux de mes fenêtres !

En lui tendant sa tasse, Kate le toisa de toute sa hauteur.

— L'homme qui méprise ses cadeaux aujourd'hui ne reçoit pas de faveurs le lendemain, Haywood. Maintenant, si vous n'en voulez pas...

— La bougresse, grommela-t-il. Donnez-moi cette tasse !

Jamie ignora leur badinage.

— C'est ce que je craignais, n'est-ce pas ? Je n'ai aucune excuse pour retarder la signature !

Haywood savoura sa caféine avec un plaisir manifeste.

— Désolé, fils ! Je ne vois pas la moindre virgule à contester. Cette convention est aussi pure qu'une âme de rosière. Normalement, je devrais dire que tu as de la chance.

Kate se positionna derrière lui, les mains sur ses épaules.

— Faites un effort, Haywood. N'importe quel contrat a toujours besoin d'un petit affinage.

— Pas celui-là, Kate. C'est un sans-faute. Je ne peux en aucun cas conseiller à ce garçon de ne pas le signer tel quel sans trahir ma conscience professionnelle.

— Allons ! insista-t-elle. Montrez-vous plus tatillon. Il s'agit de protéger les intérêts de mon Jamie sur le long terme, pas seulement dans l'immédiat.

— C'est stipulé dans ce document, objecta-t-il. Toutes les clauses possibles y sont énoncées à la perfection. Je peux tordre ce papier dans tous les sens, je n'y trouverai rien à ôter, rien à ajouter.

— Vous êtes un homme trop confiant, Haywood, roucoula Kate en souriant à Jamie par-dessus sa crinière argentée. Là dehors, le monde grouille de femmes rusées, intrigantes et comploteuses. Je ne dis pas que Vicki appartient à cette catégorie, mais qui sait si un jour elle ne viendra pas réclamer la moitié des acquêts, sous prétexte…

Haywood leva les bras et lui imposa silence en pouffant sous cape.

— D'accord, d'accord. Je vais chercher la petite bête pour vous faire plaisir, Kate Malone. Mais je capitule uniquement parce que j'ai la quasi-certitude de ne jamais rencontrer ces avocats de Fort Lauderdale auprès desquels je vais me couvrir de ridicule.

Il termina son café, s'éclaircit la gorge de façon théâtrale et posa sur Jamie un regard solennel.

— Cette convention nécessite quelques retouches, déclara-t-il avec le plus grand sérieux. Je dois peaufiner une clause ou deux afin de mieux te prémunir contre toute réclamation ultérieure et préserver l'intégrité de ton capital dans l'avenir. J'ai donc besoin de conserver ces papiers un certain temps.

— Bien, Maître, répondit Jamie sans ciller. Prenez tout le temps nécessaire.

Kate débarrassa le plateau sur la table basse avec une mine triomphante.

— La balle est dans ton camp, James Dillon Malone. A toi de jouer intelligemment.

Quand elle se détourna pour s'en aller, Haywood la gratifia d'une tape cavalière sur le postérieur.

— Dites-moi, Kate. Est-ce que les femmes d'aujourd'hui aiment toujours être courtisées ?

Elle lui coula une œillade en biais par-dessus son épaule.

— Incontestablement, Haywood Fletcher. Et vous feriez mieux de ne pas l'oublier.

Pendant qu'elle sortait drapée dans sa dignité, Jamie se surprit à rougir d'embarras ; c'était sa mère, après tout, qui se conduisait comme une soubrette effrontée.

— Vous savez quoi, Haywood ? dit-il au procureur jubilant. Lorsqu'un homme pince le postérieur d'une dame

126

devant son fils, ce fils est en droit d'espérer une demande en mariage.

Haywood lui agita un index sous le nez.

— Va donc jeter ton dévolu ailleurs, toi ! Je n'ai aucune intention de t'épouser, J.D. !

Jamie ne put qu'éclater de rire au lieu de défendre l'honneur de sa mère.

— Quant à Kate, poursuivit Haywood, je le lui proposerai à mon heure. Et mon heure ne sonnera sûrement pas avant que cette ville ne cesse de me rebattre les oreilles pour savoir quand je vais me décider à le faire.

Jamie souriait toujours en remontant dans son pick-up. Sa mère était entre de bonnes mains, et les papiers de divorce de Vicki aussi.

Depuis plusieurs années, Jamie consacrait ses vendredis après-midi aux enfants de Bayberry Cove. Il adorait les enfants et espérait ardemment en avoir un ou deux à lui, un de ces jours. En attendant, il avait créé une sorte d'atelier de plein air qui les accueillait tous, des plus doués qui venaient s'initier à la peinture ou au bricolage, jusqu'à ceux qui se contentaient de lancer des bouts de bois à Beasley.

Quand il ne se sentait pas oppressé par des sujets plus accaparants, Jamie se faisait une joie de jouer les moniteurs. Aujourd'hui, en étalant la toile cirée sur la longue table de pique-nique, il ruminait toujours son entretien du matin avec Haywood en cherchant l'issue possible.

Un chuintement de pneus sur le gravillon de la chaussée fraîchement réparée lui apporta enfin un dérivatif. Son assistante arrivait.

Avec l'exubérance primesautière de ses seize ans, Becca Lovell bondit de sa petite voiture et sautilla vers lui en exécutant des entrechats, ses boucles ramassées au sommet de sa tête bondissant comme des ressorts dorés.

— Eh bien, tu en as abattu, du travail ! s'extasia-t-elle en désignant d'un geste emphatique les fagots empilés et l'aire ratissée entre la péniche et la remise.

Durant ces deux derniers jours, Jamie avait mis à profit son trop-plein d'énergie.

— Imogène m'y a obligé, dit-il évasivement.

Les prunelles pervenche de l'adolescente pétillèrent.

— Alors comment c'était, coincé ici sans électricité ni téléphone, avec ta mystérieuse épouse ?

Jamie feignit de s'étonner.

— Toi aussi, t'es au courant ?

— Tu parles ! Comme le lycée était fermé, nous avons eu le temps de traîner au Kettle toute la journée. J'ai même vu la très jolie Mme Malone, se targua-t-elle en étrécissant les paupières. Que lui as-tu fait pour qu'elle se retrouve avec des béquilles ?

— C'est une longue histoire que je ne te raconterai pas. Combien d'enfants viennent, aujourd'hui ?

— J'en ai compté une dizaine que Luther entassait dans le fourgon. Brian n'en est pas ; Bobbi Lee m'a chargée de te dire qu'il rattrapait l'entraînement de foot annulé mercredi à cause du terrain détrempé.

Bobbi Lee boudait depuis que Jamie avait refusé de l'escorter à Norfolk pour ramener la voiture de location. Puisqu'elle avait monté son manège dans le seul but d'éloigner rapidement Vicki, il estimait qu'elle n'avait qu'à assumer ses actes.

Toutefois, il regrettait l'absence de Brian. Même s'il s'efforçait de conserver une distance prudente à cause de sa mère, Jamie entretenait avec le gamin une relation presque paternelle.

128

— Entre nous…, enchaîna une Becca frétillant de curiosité. Comment a-t-elle pris la nouvelle, Bobbi Lee ? J'ai l'impression qu'elle ne croyait pas vraiment que tu étais marié.

— C'est à elle que tu devras poser la question.

— Tu plaisantes ? Elle m'arracherait les yeux !

Jamie répondit d'un haussement d'épaules.

— Si tu m'aidais à sortir le matériel avant l'arrivée de nos élèves ? C'était quoi ?

— Quatre maisons d'oiseaux et six coffres à trésors.

Ils allèrent chercher la caisse dans la remise. La conversation redémarra pendant qu'ils disposaient les œuvres inachevées et les outils sur la table.

— Il y a des bruits contradictoires qui courent. Finalement, tu vas divorcer ou revivre avec ta femme ?

C'était la question à cent mille dollars. Comment revivre avec une femme avec laquelle vous n'avez jamais vécu et qui prévoit de vivre avec un autre ?

— Disons que je reconsidère globalement mon avenir.

— Mais tu ne vas pas la rejoindre ?

Si. Jamie venait d'arrêter subitement sa décision. Il partirait dès qu'il en aurait terminé ici avec les enfants.

— Je peux toujours y aller, commenta-t-il, mais rien ne dit qu'elle voudra de moi.

L'adolescente poussa un soupir comme si elle suivait une scène d'amour dans un feuilleton télévisé.

— Elle serait folle de ne pas tomber dans tes bras ! Quand je pense que moi, j'étais déjà amoureuse de toi à neuf ans…

Jamie éclata de rire.

— Et à douze, tu as rencontré Charlie !

Becca et le fils de Bobbi Lee se connaissaient depuis toujours, mais leur tendre idylle s'était déclarée au lycée et, depuis la cinquième, ne s'était jamais démentie.

Les pneus du fourgon de Luther Blackwell crissèrent sur le chemin. Becca gratta le crâne de Beasley qui émergea de dessous la table en s'étirant. Pas bête, le chien : il savait que, s'il restait là le vendredi, sa sieste serait malmenée par dix paires de baskets. Ayant reçu sa caresse, il trottina vers la péniche avant qu'une marmaille turbulente n'investisse son territoire.

— Hé Beas ! l'appela Jamie.

Le chien s'arrêta sur la passerelle et tourna la tête.

— As-tu jamais visité la Floride ?

Pour toute réponse, Beasley émit un énorme bâillement et s'affala au soleil comme une carpette.

Jamie grimaça un petit sourire.

— Il n'a pas l'air très emballé à l'idée d'y aller, dit-il à Becca.

Après que son groupe d'artistes en herbe fut retourné sur le continent et que Becca l'eut aidé à ranger leur attirail dans la remise, Jamie fit ses bagages, empila quelques sandwichs et boissons fraîches dans une glacière, fourra le paquet de croquettes et les gamelles de Beasley dans un sac, et chargea sa camionnette. Puis il appela sa mère pour l'informer de ses projets, siffla son chien, et démarra.

Jamie avait pris la mauvaise habitude de passer un coup de fil à Bobbi Lee lors de ses déplacements ; cette fois, il s'en abstint.

Bobbi Lee menait sa propre vie tout comme Jamie mais, contrairement à lui, elle avait tendance à couper totalement les ponts pendant la durée de ses liaisons. Lorsque celles-ci s'achevaient, elle redevenait possessive et envahissante jusqu'à la suivante.

Elle avait toujours confondu amour et besoin de sécurité. Jamie lui avait mille fois répété qu'elle n'avait pas d'abandon à craindre de sa part. Non seulement il lui conservait son affection, mais il estimait lui devoir un soutien éternel en reconnaissance de ce qu'elle avait représenté pour lui dix ans plus tôt.

Avec le bébé qui se développait dans son ventre, Bobbi Lee lui avait apporté le meilleur tonique que Jamie aurait pu espérer en cette sombre période de sa vie. Dommage qu'elle lui ait menti sur la paternité de Brian ; la tromperie avait brisé la confiance. Sans ce mensonge, Jamie aurait sûrement accueilli de bon cœur la mère et l'enfant sous son aile. Il leur aurait donné son nom.

Et il aurait divorcé à ce moment-là.

Au croisement de Sandy Ridge Road, il contempla sa colline qui surplombait les marais en face de la chaussée. Il avait acheté ces deux hectares de terre en rêvant d'y faire construire une maison mais, jusqu'à présent, il ne s'était jamais senti pressé de quitter sa péniche.

En s'engageant sur la route de crête, il jeta un coup d'œil à son passager ravi de partir en promenade sans se fatiguer les pattes.

— Dans quoi on s'embarque, Beasley ? Une folle équipée ou une quête spirituelle ?

Si son chien ne le savait pas plus que lui, du moins chaque tour de roue les approchait-il de la réponse.

8.

Vicki s'étira dans son fauteuil rembourré et se frotta les yeux. Elle avait travaillé plus de deux heures d'affilée sur son ordinateur et n'était pas mécontente du résultat : un site Web de six pages qu'elle venait de créer pour Thé et Antiquités. Désormais, le monde entier serait informé de l'ouverture de son magasin.

Elle se leva pour se dégourdir les jambes en considérant avec répugnance les béquilles appuyées dans un coin. Son pied avait désenflé et, en dépit d'une légère douleur persistante, Vicki s'était enhardie à reprendre le volant cet après-midi. Au diable les béquilles !

En claudiquant un peu, elle alla jusqu'à la devanture. La nuit était tombée et, à 19 heures passées, le boulevard était calme sous la lumière des réverbères. Le dimanche, les boutiques fermaient à 18 heures. Seuls les cafés chic et les traiteurs de luxe illuminaient encore les trottoirs de loin en loin.

Vicki allait clore sa journée, elle aussi. Elle allait regagner son petit cottage du vieux quartier rénové de Fort Lauderdale et se faire couler un bain dans sa confortable baignoire ancienne à pieds de lion. Se prélasser dans la mousse effacerait au moins la fatigue du moment.

Le stress de la semaine, lui, n'était pas près de disparaître. Depuis son retour de Pintail Point, Vicki n'avait jamais recouvré cette sérénité, cette satisfaction du train-train quotidien, en un mot l'harmonie qui définissait sa vie avant ce voyage tumultueux.

Se détachant de la fenêtre, elle revint à son bureau afin d'éteindre son ordinateur. Soudain, sa main s'immobilisa sur la souris. « Pourquoi pas ? » lui chuchota son petit démon intérieur. Pour la première fois depuis son retour, Vicki se trouvait seule, sans Hazel convertie en chauffeur rôdant dans les parages. Elle n'attendait personne et personne ne l'attendait. Qu'est-ce qui l'empêchait de céder à la tentation qui n'avait cessé de la démanger ?

Elle reprit place dans son fauteuil et chercha J.D. Malone sur son serveur Internet. Plusieurs références apparurent sur l'écran. Elle commença à balayer la première, notant les mots clés : « Sculpteur sur bois, jeux publicitaires, sculptures originales... »

Trois coups frappés à la porte la firent sursauter comme si elle était prise en faute. Louise grimaçait à travers le carreau en agitant un sac portant le logo du restaurant français voisin.

Des crêpes ! Se souvenant qu'elle avait l'estomac vide, Vicki en eut l'eau à la bouche. Elle s'empressa d'aller ouvrir, aussi vite que son pied le lui permettait.

Louise fronça les sourcils.

— Où sont tes béquilles ? N'es-tu pas censée les utiliser ?

— Je les ai usées. Ou le contraire. Quoi qu'il en soit, nous nous sommes séparées par consentement mutuel. Quel bon vent t'amène ?

Elles s'étaient parlé au téléphone mais sans se revoir depuis le lundi où Louise lui avait rédigé sa convention.

133

— Quelqu'un doit veiller sur toi, ma fille, décréta son amie en la précédant d'une foulée. Je viens m'assurer que tu te nourris convenablement. Sur quoi travaillais-tu ?

Vicki reprit rapidement les devants pour cliquer sur *exit* et ramener l'écran à son programme ordinaire.

— Rien, j'avais fini. Je surfais sur des sites d'antiquités… Si nous passions au salon de thé pour manger ?

— Assieds-toi, je t'apporte les couverts.

Vicki déballa les victuailles.

— Ainsi, tu es venue uniquement par souci de ma santé ?

— Bien sûr. Quelle autre raison pourrais-je avoir ? Du fait que tu ne m'as rien dit sur ton voyage, ce n'est certainement pas la curiosité qui m'attire.

— Mais si, je t'ai tout dit ! s'exclama Vicki en entamant une délicieuse crêpe au fromage. J'ai rencontré Jamie et il a accepté le divorce.

— La belle affaire ! Des généralités, j'en ai des piles sur mon bureau. Ce sont les sentiments qui m'intéressent, les descriptions, les conversations, les émois, les trémolos… Les détails croustillants, quoi !

Vicki pouffa.

— Alors achète-toi un roman palpitant. Ma brève entrevue avec Jamie Malone a été des plus banales.

— Ce qui explique pourquoi tu es rentrée avec une cheville foulée mais sans les papiers signés, et que tu me raccroches pratiquement au nez chaque fois que j'essaye d'interroger… Et aussi pourquoi, ajouta Louise narquoise, tu as ce petit tic au coin de l'œil en ce moment même.

— Ne sois pas ridicule ! Tu n'imagines quand même pas que j'ai quelque chose à me reprocher ?

Louise piocha une carotte dans le ramequin de crudités.

— As-tu quelque chose à te reprocher ?

— Absolument rien !

Je me couperai la langue plutôt que d'avouer que Jamie m'a embrassée, que j'y ai pris un certain plaisir et que j'en ai encore des frissons quand j'y pense…, se dit Vicki.

Louise adopta son air suffisant.

— Pas de culpabilité ? Formidable ! Alors tu as tout raconté à Graham ?

Vicki lui décocha un regard noir.

— Non, parce que cette culpabilité-là, j'ai appris à la gérer depuis longtemps.

— Est-ce qu'il t'a reconnue ?

Vicki feignit la candeur.

— Encore heureux. Nous nous fréquentons depuis huit mois et je ne me suis absentée que deux jours.

— Pas Graham, idiote ! Tu sais pertinemment que je te parle de ton mari, l'illustre M. Malone. T'a-t-il reconnue ?

— Mais oui, bien sûr. Contrairement à toi, Loulou, je n'ai pas tant vieilli en treize ans.

L'expression scandalisée de son amie la fit éclater de rire. A trente-cinq ans, cheveux de jais et corps sculpté à l'aérobic, Mc Duncan était un canon époustouflant. Il suffisait de la suivre dans le hall du palais de justice Broward et de voir les regards des hommes qui se retournaient sur elle.

— Admettons que je n'ai rien entendu, trancha-t-elle. Je passe l'éponge, mais j'exige la vérité. Comment est-il ? Sur une échelle de un à dix.

— Question caractère, pas désagréable. Huit, neuf…

— Le physique, Vic ! Il n'y a que ça d'important.

Vicki s'attaqua au panier de framboises.

— Je ne sais pas en juger.

— Bien sûr que si. Combien donnes-tu à Graham ?

— Dix, sans hésiter.

Louise fit la moue.

— D'accord. Nos critères sont différents. Dans son style grandes écoles, ton Graham a de l'allure, mais sur mon échelle, il ne dépasse pas le sept… Tiens, tiens…

Léchant du coulis d'abricots sur ses doigts, Louise se tut soudain, les yeux rivés sur la vitrine. Puis un sourire lascif étira ses lèvres.

— Le voilà, mon type d'homme ! Enlève-lui sa chemise ridicule, et je lui donne neuf et demi. Mais son chien…

Elle eut une moue méprisante.

— … monté sur des échasses en guise de pattes, il ne vaut même pas un demi-point.

— Tu es insupportable, Loulou. Arrête de regarder comme ça ! supplia Vicki en jetant elle-même un coup d'œil furtif avant d'engloutir un gros morceau de crêpe. C'est probablement un olibrius qui cherche une aventure du dimanche soir et qui s'est arrêté en voyant deux filles dans…

L'image entraperçue à la lueur du réverbère parvint à son cerveau avec l'impact d'une bombe à retardement. La bouchée se coinça dans sa gorge. S'étranglant, étouffant, Vicki tourna son visage congestionné et ses yeux exorbités vers la vitrine derrière laquelle se profilaient deux silhouettes familières tandis que son amie accourait pour lui taper dans le dos.

Louise lui tendit un verre d'eau.

— Ça va ? Bois.

Vicki parvint enfin à déglutir.

— Seigneur ! couina-t-elle. Tu sais qui c'est ?

— Non, mais j'aimerais le savoir.

Elle reporta de nouveau son regard sur Jamie Malone, dont les traits se transformaient lentement. Ses yeux s'arrondirent, les coins de sa bouche s'incurvèrent doucement avant de s'épanouir en sourire éclatant, et toute son attitude mima l'ébahissement, comme s'il s'émerveillait d'une incroyable coïncidence.

— Il te connaît, nota Louise. J'espère pour son chien qu'il n'y a pas de plomb dans ta peinture.

Réagissant à cet étrange commentaire, Vicki s'aperçut que la calligraphie en scripte anglaise semblait, pour une raison quelconque, convenir aux papilles gustatives de Beasley. A grands coups de langue, il était en train d'essayer de gommer le *s* du mot Antiquités.

Fronçant des sourcils sévères, Vicki se leva en désignant le chien du doigt. Jamie baissa les yeux et tira sur la laisse. Détourné de son occupation, Beasley remarqua alors Vicki à travers la vitre et se mit à piétiner en remuant la queue ; il avait l'air de sourire.

— J'ai l'impression que le chien te connaît aussi…

— Oui, ils me connaissent tous les deux, confirma Vicki en clopinant vers la porte.

Louise lui emboîta le pas.

— Ne me dis pas que tu as encore une autre vie secrète que tu m'as cachée ?

— Non. C'est la même.

Elle prit une profonde inspiration, seul antidote possible dans l'immédiat contre la tempête d'émotions qui menaçait de l'engloutir. Puis elle repoussa le verrou et fit entrer ses visiteurs au son des délicates clochettes qui se mirent à carillonner au-dessus de leurs têtes.

— Louise, je te présente Jamie Malone et Beasley.

Louise happa la main que Jamie lui tendait.

— C'est de cet homme-là que tu veux divorcer pour Townsend ? roucoula-t-elle en regardant Jamie droit dans les yeux. Oh ! chérie, il va falloir que nous parlions !

— Tiens-toi, Loulou, grommela Vicki en contemplant leurs mains soudées jusqu'à ce que Jamie parvienne à libérer la sienne qu'il enfouit aussitôt dans la poche de son short. Pouvez-vous m'expliquer ce que vous faites ici ?

— Nous sommes en vacances, répondit-il du ton anodin de celui qui dit la stricte vérité. Je penchais pour le Wisconsin, mais Beasley a insisté pour la Floride. C'était à lui de choisir, cette année, et j'ai dû m'incliner. Pas vrai, Beas ?

Le chien n'eut pas l'outrecuidance de confirmer.

— Je ne plaisante pas, Jamie ! J'espère seulement que vous m'apportez mes papiers signés.

Il soupira en se grattant la tête.

— A propos de ces papiers, Vicki, j'ai un léger problème dont j'aimerais vous entretenir en privé.

Qu'allait-il lui annoncer ? Que sa péniche avait finalement coulé et les papiers avec ?

Croisant les bras sur sa poitrine, Vicki fixa un point dans l'espace. Elle n'avait pas besoin de se laisser perturber par le miroitement de ses prunelles d'émeraude en ce moment.

— Vous pouvez parler. Louise est mon avocate.

Jamie se fabriqua une mimique dûment impressionnée.

— Oh ! Oppenheimer, Strauss, ou Baker ?

— Duncan, un second rôle, rétorqua Louise. J'ai encore de belles années devant moi avant de rejoindre les seniors en haut de l'affiche. Mais je peux cependant me vanter d'être l'auteur de votre convention de divorce.

Là, Jamie sembla lui accorder une admiration sincère.

— Beau travail… mon avocat n'y a décelé que quelques détails à réviser.

Oubliant qu'elle le trouvait irrésistible, Louise le fusilla d'un regard incendiaire.

— Votre avocat vous mène en bateau. Ce document est un chef-d'œuvre de perfection. Il ne présente pas le moindre détail contestable.

— Oh ! sûrement pas à mes yeux ! acquiesça Jamie. Et je n'entends pas retarder longtemps ma signature. Mais mon avocat tient à l'étudier minutieusement et à ajouter une clause ou deux pour ma protection.

— C'est absurde !

— Eh bien, vous savez mieux que personne comment sont les avocats…

Vicki s'était assise et caressait la tête de Beasley venu aussitôt poser le museau sur sa cuisse. Pendant que son avocate et son mari se chicanaient à propos d'un document qui concernait son propre avenir, elle puisa l'apaisement dans les billes d'ambre affectueuses du chien. Quand son rythme cardiaque eut retrouvé une cadence approchant la normale, elle risqua un coup d'œil vers Jamie, histoire de vérifier si elle parvenait à le regarder sans qu'une myriade d'émotions lui désagrège les sens. D'accord, Jamie était beau ; mais il était aussi le plus bel obstacle à son bonheur futur.

Elle se remit debout.

— Donc, si vous ne m'apportez pas mes papiers, nous en revenons à ma question originale. Que faites-vous ici ?

En guise de réponse, il haussa un sourcil à l'adresse de Louise.

— Compris, dit cette dernière en allant ramasser son sac. Amusez-vous bien, les enfants. J'ai mieux à faire que de jouer les arbitres.

Pendant que son amie disparaissait, la cheville de Vicki recommença à l'élancer. Elle franchit l'arche séparant les deux salles et se percha sur l'accoudoir d'une causeuse victorienne.

— J'attends toujours ma réponse, Jamie.

Il écarta les bras à la manière d'un mannequin exhibant sa tenue, un short large et une chemise hawaïenne.

— Même dans cet accoutrement, vous ne me croyez pas quand je dis que je suis en vacances ?

— Pas une seconde. Même sous le soleil de Floride.

Jamie enfouit les mains dans ses poches avec son haussement d'épaules légendaire.

— Un homme a-t-il besoin d'un prétexte pour venir voir sa femme ?

— Oui, quand cette femme est sur le point d'en épouser un autre !

Vicki crut déceler une légère crispation sur son visage.

— Graham a fait sa demande ?

Rien ne t'empêche de répondre oui, lui murmura la voix de la raison.

— Eh bien, ça ne va pas tarder, dit-elle.

Elle crut remarquer une légère décrispation.

— Très bien.

— Ecoutez, Jamie, la bague n'est qu'une formalité. Alors si vous avez parcouru tout ce chemin pour continuer à…

— Je voulais prendre des nouvelles de votre cheville.

— Elle va beaucoup mieux.

— J'ai pensé que vous pourriez avoir besoin d'aide pour l'ouverture de la boutique.

— Aucun besoin.

— J'ai pensé que vous voudriez peut-être me commander des jeux. En tant que cadeaux publicitaires, ils plaisent énormément, et ils attirent la clientèle.

— Si tel avait été le cas, je vous aurais appelé.

Il se frotta les coins de la bouche entre le pouce et l'index.

— J'arrive à court d'arguments…

Vicki s'interdit de sourire. Cet homme venait de parcourir mille cinq cents kilomètres pour la voir. Quelle femme n'apprécierait pas cette étrange obstination, même si elle tombait mal ?

— Sincèrement, Jamie, je suis touchée que vous ayez fait toute cette route pour me rendre visite, mais ce serait malhonnête de ma part d'entretenir l'idée que...

Se sentant patauger, elle reprit plus fermement :

— Ce qui s'est passé pendant ces vingt-quatre heures n'était rien de plus qu'une nuit dans la tempête, Jamie. Il n'existe aucun lien entre nous, pas même ce mariage, qui n'a jamais été réel.

— Si, il l'est. Sinon vous n'auriez pas besoin d'un divorce pour y mettre fin.

Elle poussa un soupir de frustration.

— C'est une réalité légale, pas sentimentale. Nous sommes deux personnes totalement différentes.

— N'est-ce pas le cas de tout un chacun ?

— Ne me faites pas sortir de mes gonds ! s'emporta-t-elle. Vous savez très bien ce que je veux dire. Nous avons des styles de vie différents, nous poursuivons des buts différents et nous n'aimons pas les mêmes choses.

— Nous aimons tous les deux nous embrasser.

Voilà une vérité irréfutable qu'elle n'admettrait jamais.

— Cela n'aurait pas dû se produire. Je suis fiancée à un autre homme, attirée par un autre homme, et je vais épouser un autre homme dès que vous...

— Dès que j'aurai signé les papiers, je sais. Et dès qu'il vous proposera le mariage.

— Il va me le proposer ! Et je répondrai oui !

Jamie n'eut pas le loisir de répliquer. La sonnerie du téléphone les figea tous deux. Clouée sur son accoudoir de causeuse tandis que les sonneries s'égrenaient, Vicki examinait mentalement la liste de tous les gens susceptibles de l'appeler. Pourvu que ce ne soit pas Graham ! La perspective d'avoir une conversation avec Graham en présence de Jamie lui paraissait au-dessus de ses forces.

— Vous voulez que je réponde ?

Sa question la ramena sur terre.

— Grand Dieu, non !

Elle clopina jusqu'à son bureau et jugea prudent de s'asseoir avant de décrocher.

Jamie s'accroupit devant Beasley qui revenait d'un pas tranquille de son petit tour du propriétaire, et le gratta derrière l'oreille.

— Comment ça se présente, à ton avis ? chuchota-t-il. Elle n'avait pas l'air mécontente de nous voir.

Beasley remua la queue, un rare déploiement d'énergie, aussi proche de l'acquiescement que Jamie pouvait l'espérer.

Au mépris de son sens artistique qui lui faisait grincer des dents à l'idée d'associer une chemise imprimée d'hibiscus à une classique tapisserie victorienne, il s'installa dans la causeuse que Vicki venait de quitter.

La voix de Vicki qui, un instant plus tôt, s'insurgeait contre lui avec tant d'ardeur lui sembla soudain terne, dénuée d'inflexions.

— Oui, maman. Oui, je travaille même le dimanche… Non, tout se passe bien. Je t'avais dit que j'appellerais au milieu de la semaine prochaine…

Ses doigts pianotèrent sur le bureau.

— Comment ça, tu ne pouvais pas attendre si longtemps ? Que se passe-t-il encore ?

La pointe d'irritation qui souligna le « encore » laissait supposer que les ennuis étaient fréquents du côté de sa famille. Elle écouta pendant dix bonnes minutes un discours qu'elle tentait sans cesse d'interrompre sans y parvenir.

— Non, maman, plaça-t-elle enfin. Je doute que Larry soit un escroc ; il est garagiste à Maple Grove depuis des années et tout le monde lui fait confiance. Il connaît sûrement le prix d'une transmission.

Une autre minute passa.

— Combien, tu dis ? Tant que ça ?

Elle ferma les yeux comme pour puiser à la source de quelque force zen.

— Bien sûr, maman, je sais que tu détestes demander...

En rouvrant les yeux, elle rencontra ceux de Jamie, ce qui l'incita à faire pivoter son fauteuil vers le mur. Toutefois, sans voir son visage, il pouvait comprendre l'essentiel de ce qu'elle disait.

— Dès que je pourrai, maman... Je ne suis pas très riche, tant que la boutique ne fonctionne pas... Oui, j'ouvre la semaine prochaine... Je sais que tu en as besoin, maman... Oui, par mandat. Ne t'inquiète pas, d'accord ?

Elle ramena son fauteuil pivotant face à la pièce.

— Oui, je t'appelle toujours mercredi. Il faut que j'y aille, embrasse papa, au revoir.

Vicki raccrocha posément, exhala un long soupir et regarda le plafond.

Jamie, qui la savait combative, fut troublé de la sentir aussi découragée. Il se dit que le poids qui l'écrasait ne se rapportait pas seulement à cet appel téléphonique, mais à une accumulation d'appels du même genre.

Finalement, elle campa les coudes sur son bureau et posa son menton sur ses mains croisées.

— Vous avez entendu ?

— Il m'aurait été difficile de ne pas entendre.

143

— En un certain sens, je suis contente. Ça vous aidera à comprendre.

— Comprendre quoi ?

— Pourquoi je vous ai épousé, d'abord.

Il tenta de la dérider.

— J'avais déjà compris que ce n'était pas pour mes beaux yeux.

Vicki laissa retomber ses mains croisées devant elle.

— Exact, Jamie. Il y a treize ans, je ne peux pas dire si c'était une transmission de moteur qui avait lâché. Ce pouvait être un emprunt à rembourser, ou une rivière en crue qui avait inondé les champs, je ne m'en souviens pas. Mais c'était dramatique et coûteux, vous pouvez me croire.

— Je ne vous ai jamais blâmée de m'avoir épousé pour de l'argent, Vicki. Mes motifs étaient également intéressés.

— Peut-être. Mais ne voyez-vous pas ?

Il eut un geste d'ignorance.

— Ce jour-là, au palais de justice d'Orlando, vous avez obtenu ce que vous vouliez ; mes parents ont obtenu ce qu'ils voulaient…

Elle le fixa d'un regard farouche.

— Aujourd'hui, j'estime que c'est à moi d'obtenir ce que je veux.

Jamie hocha la tête avec le sourire.

— Je suis tout à fait d'accord avec vous. Je suis justement venu afin de m'assurer personnellement de ce que vous voulez exactement.

Vicki secoua la tête avec lassitude.

— Pourquoi, Jamie ? Pourquoi ?

Il se mordilla la lèvre, mesurant ses mots avec précaution.

— Parce que je vous ai revue, Vicki. Vous m'avez donné envie de prendre soin de vous, presque comme un mari doit

144

prendre soin de sa femme. Cela peut vous paraître fou, mais vous ne quittez plus mes pensées. J'ai peut-être simplement besoin d'être certain que la vie que vous allez choisir est la meilleure pour vous, et qu'elle correspond vraiment à ce qu'il y a dans votre cœur.

Elle lâcha un autre soupir, celui-là vers le haut, soulevant les mèches sur son front.

— Vous êtes incroyablement gentil ou incroyablement naïf ! Ou désespérément bizarroïde… Je vais vous le dire, ce que je veux. Je veux cette boutique, de beaux meubles et un homme respectable.

Jamie promena les yeux sur ses jolies pièces de collection.

— Vous croyez que le nom de Townsend et toutes ces choses luxueuses feront de vous une femme respectable ?

— Oui. Non, rectifia-t-elle. Je crois avoir acquis ma propre respectabilité ; j'ai travaillé assez dur pour arriver où je suis. Mais Graham est un homme qui stimule mes capacités. Il est le symbole même de ce que je me suis acharnée à devenir. Il me soutiendra, il m'encourage dans mes ambitions. Graham ne me laissera jamais redescendre là où j'étais…

— Là où vous étiez quand vous m'avez épousé ?

— Oui, quand je vous ai épousé pour de l'argent. Graham est un prince, Jamie. Attendez de le rencontrer, vous verrez.

Jamie en sourit de plaisir. Même si les mots lui avaient échappé, il fallait que Vicki lui fasse rudement confiance pour envisager sans hésitation de soumettre Graham à son jugement.

— Je vais donc avoir l'honneur de rencontrer ce parangon de vertu ?

Consciente d'avoir franchi avec lui un pas vers l'intimité, Vicki s'empourpra.

— Je voulais dire... si vous devez rester en ville un certain temps, vous le croiserez probablement...

— Je vais rester un certain temps. Ne serait-ce que pour voir comment vous allez gérer les présentations...

Il secoua Beasley endormi à ses pieds et se leva.

— Mais pas ce soir ; il est tard. Graham doit sans doute passer pour vous raccompagner chez vous ?

— Non, je rentre seule. Je suis venue en voiture.

— Est-ce bien raisonnable ?

Lui dédiant son premier vrai sourire, elle tendit la jambe en retroussant l'ourlet de son pantalon et lui démontra la flexibilité de sa cheville désenflée. Jamie ne renonça pas pour autant à jouer les chevaliers servants.

— Puis-je vous escorter jusqu'à votre voiture, alors ?

— Non, merci ; je suis garée dans l'arrière-cour. Avez-vous trouvé un hôtel ?

— Un petit appartement, loué à la semaine, à deux pâtés de maisons d'ici. La logeuse est charmante ; elle n'a même pas sourcillé devant Beasley. J'en ai déduit que cette vieille dame est un ange.

— Bien.

— Ce qui est bien, c'est que vous ne soyez pas révoltée que j'aie loué à la semaine, dit-il en se dirigeant vers la porte.

Il laissa Beasley sortir et se retourna avant de refermer.

— A propos... dans cette liste des atouts de Graham, vous n'avez pas mentionné que vous l'aimez. Bonne nuit, Vicki.

*
* *

Vicki bouillonnait toujours en arrivant chez elle. Aimer !

Pourquoi fallait-il que Jamie décortique la moindre de ses paroles, et pourquoi fallait-il qu'elle ait oublié ce mot ? Bien sûr qu'elle aimait Graham ! La chose allait de soi, non ?

Attendez de l'avoir rencontré... Où avait-elle la tête en suggérant une pareille ineptie ?

La lumière du perron de son petit cottage répandait une lumière accueillante. Sa cheville lui permit de gravir sans trop de peine les deux marches jusqu'à sa porte – au moins un point positif dans son univers sens dessus dessous.

Elle s'affala sur son canapé 1900.

Peut-être, après tout, qu'une rencontre entre les deux hommes résoudrait ses problèmes. Jamie se rendrait compte que Graham représentait une force puissante dans sa vie, et qu'elle n'allait pas le balayer de son horizon simplement parce que M. Malone et son chien s'étaient parachutés à Fort Lauderdale.

Et si Jamie commettait un impair et... Non, Vicki avait toute confiance en lui. Davantage qu'en elle-même. Dans son état de fébrilité, c'était plutôt elle qui risquait de faire une gaffe.

Elle se leva ; elle avait besoin d'un thé.

Il ne lui restait plus qu'à prier pour que la rencontre ne se produise pas, conclut-elle en se mordillant un ongle pendant que l'eau chauffait. Graham était un chef d'entreprise très occupé. Il ne passait au magasin qu'en cas d'extrême nécessité. Comme vendredi, quand il était venu superviser la disposition de ses meubles afin de réserver des emplacements spécifiques pour ceux de son prochain arrivage d'Amsterdam. Vicki lui avait su gré de choisir des emplacements discrets, laissant en valeur ses propres articles, sur lesquels elle ne lui devait aucun pourcentage à la vente. Graham était un prince.

Elle versa l'eau bouillante sur le sachet dans sa tasse en faïence XIXe siècle.

Il repasserait forcément pour la livraison du container...

Ils se rencontreraient fatalement, si Jamie restait une semaine. Une semaine ! Et pourquoi pas deux ?

Le doux arôme du thé au citron lui apaisa instantanément les nerfs. C'était étrange... Elle aurait dû paniquer, mais le fait de savoir Jamie dans les parages la glaçait et la réchauffait tout à la fois.

— Ridicule ! marmonna-t-elle. La chaleur n'est due qu'au thé.

9.

En passant du boulevard presque désert à sa rue plus animée, Jamie reçut une bouffée d'effluves mêlant le parfum des arbustes à fleurs, le fumet des spécialités des restaurants et l'air marin. Le littoral de l'Atlantique se trouvait à moins d'un kilomètre.

— C'est ça, la Floride, mon vieux ! dit-il à Beasley qui trottait à côté, momentanément asservi aux contraintes de la laisse. Des brises chaudes, des ciels purs, des feuilles de palmiers qui bruissent au-dessus de ta tête comme un chant de cigales. Bon, je sais, tu vas me dire que ça ne vaut pas Pintail Point. Mais quand même, les étoiles ont un certain charme, ce soir…

Il se sentait plutôt guilleret. Vicki ne l'avait pas accueilli à bras ouverts, mais elle ne l'avait pas jeté dehors non plus.

— Je crois que nous avons toujours une chance avec elle, déclara-t-il à son chien. Eh ! retiens-toi, Beas…

A l'approche de leurs quartiers temporaires, Beas filait avec un entrain surprenant, tirant sur son collier. Jamie accéléra le pas en gloussant.

— A part « couché », j'ai bien peur que tu ne puisses jamais accepter un ordre, hein ? « Au pied, va chercher, apporte », c'est pas ton truc.

Ils entrèrent dans le parking du bâtiment rectangulaire à un étage divisé en une dizaine d'appartements d'une pièce cuisine. Beasley l'entraînait vers leur porte du rez-de-chaussée quand Jamie entendit sonner le téléphone de son pick-up garé en face. Il tira un Beasley récalcitrant dans la direction opposée.

En décrochant le combiné, il reconnut le numéro de Bobbi Lee sur l'afficheur. Il roula des épaules dans une tentative de se relaxer avant de prendre la communication.

— Allô ?

La voix qui répondit était furieuse.

— Il est temps ! Je t'ai laissé quatre messages ! Je sais très bien ce que tu traficotes en Floride, n'essaye pas de me mentir, Jamie !

— Je n'ai aucune raison de te mentir, Bobbi.

— Ah ? Dans ce cas, pourquoi ne m'as-tu pas prévenue de ton départ ?

— Je t'ai appelée à l'arrivée et je t'ai laissé un message moi aussi. Tu l'as eu, puisque tu sais que je suis ici.

— Il n'empêche que tu es parti comme un voleur.

Jamie chercha un soutien auprès de Beasley, qui tourna son museau vers l'appartement sans aucune compassion.

— Ecoute, Bobbi. Je n'ai pas à te rendre compte de mes faits et gestes. Nous sommes de bons amis, mais nous avons chacun notre vie.

Elle changea son fusil d'épaule.

— Tu aurais pu appeler les enfants, ils ont besoin de toi.

— Non. Ils se débrouillent très bien sans moi. Ils n'ont besoin que de toi, tu es une très bonne mère.

Sa voix passa au registre plaintif.

— Ils t'aiment, Jamie. Tu as des responsabilités envers eux.

Jamie s'adossa contre la carrosserie et se massa la nuque.

— Moi aussi, je les aime, Bobbi. Je ne leur ai jamais fait faux bond, et ils le savent. Mais il ne s'agit pas d'eux, là. Tu es en train de me faire une scène pour ta propre chapelle, pas pour les enfants.

Bobbi haussa le ton d'un cran.

— J'ai des raisons, tu ne crois pas ? De quoi ai-je l'air, ici ? Toute la ville raconte que tu vas retourner avec ta femme !

— Et en quoi te sens-tu bafouée ? demanda-t-il calmement. Nous avons été amants pendant quelques mois il y a dix ans. Depuis, nous avons conservé une relation amicale, rien de plus. Tout le monde le sait.

— Tu te moques de moi ! Nous sommes liés, Jamie. Même si nous avons des aventures chacun de notre côté, tu…

— Arrête, Bobbi Lee ! coupa-t-il. Tu parles comme si nous étions mariés, ce qui n'a jamais été le cas.

— Ah ! nous y voilà ! Tu as toujours cru que je t'avais menti sur la paternité de Brian pour me faire épouser, et tu ne me l'as jamais pardonné !

Jamie se contracta à ce douloureux souvenir.

— Ne ramène pas ce sujet, Bobbi.

— Je pensais sincèrement que tu étais le père, poursuivit-elle, sourde à sa prière. Je traversais une mauvaise passe, j'étais dans la confusion, et tu avais l'air tellement heureux de devenir papa…

Jamie cessa d'écouter la litanie mille fois entendue. Brian était né sept mois après leur premier rapport, avec la robuste constitution d'un bébé de neuf mois. Un simple test avait confirmé le calendrier.

— Tout cela est loin, Bobbi ! interrompit-il. Le principal, c'est que j'ai toujours été régulier avec toi, et que j'aime Brian comme au jour de sa naissance.

Même si j'ai eu le cœur brisé d'apprendre qu'il n'était pas mon fils, aurait-il pu ajouter.

— Mais moi, tu ne m'aimes pas ; c'est ça que tu veux dire ?

— Non, ce n'est pas ce que je voulais dire ; je parlais de Brian. Toi, je t'aime bien mais je ne t'aime pas d'amour, ne revenons pas là-dessus, trancha-t-il avec irritation.

— Et ta femme ? Tu crois l'aimer, elle ? Comme ça, treize ans après ? Vous n'avez jamais rien partagé ! Pourquoi vous êtes-vous séparés, au fait ?

Il rongea son frein.

— Je te l'ai déjà dit, Bobbi. Nous étions jeunes, nous ne savions pas ce que nous voulions…

Sinon que l'une voulait de l'argent et l'autre un permis de séjour.

— Maintenant, apparemment, elle sait ce qu'elle veut, enchaîna Bobbi Lee d'un ton plus gai. Elle est amoureuse d'un type qu'elle va épouser. Pourquoi lui cours-tu après, Jamie ? Tu n'as aucune chance…

De guerre lasse, il finit par mentir.

— Je ne lui cours pas après, Bobbi. Tu fais une montagne d'une taupinière.

— J'espère que tu ne vas pas te ridiculiser, Jamie Malone ! Ta Vicki n'a plus vingt ans, elle a évolué. La femme que j'ai vue sait ce qu'elle veut. Elle veut le divorce, et tu ne la feras pas changer d'avis.

— Tu as sûrement raison, concéda-t-il. Bon, je vais te laisser ; je suis dehors et Beasley s'impatiente. Embrasse les enfants.

Jamie raccrocha.

Soudain, il ne se sentait plus aussi confiant en ses chances de reconquérir – non, de conquérir – son épouse qu'il n'avait jamais conquise.

Le lendemain matin, attendant toujours le container en provenance d'Amsterdam, Vicki s'attela à la décoration.

Elle venait d'accrocher l'un de ses deux tableaux du XVIIIe au-dessus d'un buffet anglais de la même époque et s'apprêtait à descendre de l'escabeau afin de juger si le cadre tombait droit quand une voix derrière elle régla la question.

— Remontez un peu sur la gauche.

La surprise la fit sursauter et elle se rattrapa *in extremis* à la corniche du buffet.

— Jamie ! Comment êtes-vous entré ? zézaya-t-elle avec ses clous dans la bouche avant de les cracher dans sa main. Toutes les portes sont fermées, ajouta-t-elle en langage plus audible.

— Pas celle de derrière, côté cuisine. Je pourrais être un banal cambrioleur et entrer comme dans un moulin.

— Impossible, il n'y a rien de banal en vous.

Il lui dédia ce sourire en coin qui ne cessait de la hanter depuis son retour de Pintail Point. Elle baissa les yeux sur Beasley.

— Que faites-vous ici, tous les deux ?

— J'ai découvert une chose à propos des vacances : les activités sont réduites quand votre compagnon marche à quatre pattes. Il y a peu d'endroits où les chiens sont admis.

Beasley se dirigea droit vers une ottomane, sauta dessus et tourna plusieurs fois en rond avant de s'y vautrer. Vicki fronça les sourcils.

— Je ne suis pas sûre que ce magasin les admette non plus.

Suivant son regard, Jamie se précipita sur le chien.

— Beas ! Je t'ai dit de surveiller tes manières dans cette boutique !

Une pichenette sur le postérieur suffit à faire redescendre Beasley sur le tapis que Vicki avait provisoirement étalé par terre en attendant de trouver une place où l'exposer.

— Là, c'est permis ?

— Oui, je suppose.

Elle réprima un sourire en imaginant la tête de Graham s'il voyait Beasley s'étaler sur l'une de ses plus précieuses importations du Moyen-Orient.

Suivant les indications de Jamie, elle rectifia l'inclinaison du tableau.

— Avez-vous bien dormi ? demanda-t-elle.

— Comme un loir.

Nous sommes deux, songea-t-elle avec ironie.

— Il est droit, là ?

— Oui.

— Passez-moi le deuxième, voulez-vous ?

— Je veux bien, mais laissez-moi faire…

— Je suis capable d'accrocher un tableau.

Il ne discuta pas, mais garda la toile en main, l'étudiant et la comparant à son pendant fixé au mur.

— Des scènes de chasse au renard… Une coutume barbare. Il paraît que les Britanniques ont enfin décidé de se civiliser et d'abolir leurs traditions moyenâgeuses.

— Navrée, mais ces peintures se vendent bien, et les dettes que j'ai accumulées ces derniers temps ne me permettent pas d'être à cheval sur le politiquement correct.

— Parce que vous n'êtes pas un renard !

Il leva sur elle des yeux d'une intensité qui mit à vif ses nerfs déjà fragiles.

— Vous devriez plutôt vous ranger du côté des biches.

Vicki agita la main avec impatience.

— Passez-moi ce tableau, s'il vous plaît.

Jamie s'exécuta, à l'instant même où la serrure de la porte du magasin cliqueta. Vicki se figea, les doigts crispés sur le

154

cadre doré qu'elle venait de lui prendre. Une seule personne possédait le double des clés. Les genoux flageolants, elle se retourna.

— Graham !

Sous l'effet de sa tremblote, l'escabeau oscilla. Jamie le stabilisa aussitôt d'une main, l'autre se refermant autour de la cheville de Vicki. Elle s'empressa de lui rendre le tableau, non seulement pour pouvoir descendre mais surtout pour qu'il lâche sa jambe.

— Je… je ne t'attendais pas avant ce soir ! balbutia-t-elle. Je te croyais retenu au bureau toute la journée.

Le regard de Graham se fixa sur le visage de Jamie. Il avait laissé son veston dans la voiture, mais n'en exsudait pas moins son habituelle distinction vernissée.

Presque trop parfait, songea Vicki pour la première fois.

— Je devrais y être, répondit-il sans dévier son regard, mais une tuile est survenue. Qui êtes-vous ? Un ouvrier ?

Jamie sourit poliment.

— En temps ordinaire, oui. Mais là, je suis en vacances.

Vicki ne pipait mot. Graham lui jeta un bref coup d'œil avant de se concentrer à nouveau sur Jamie.

— Le magasin n'est pas encore ouvert, je vous signale.

— Aucun problème, je ne suis pas venu pour acheter.

— Alors que…

Recouvrant un minimum de ses facultés pour intervenir, Vicki posa la main sur la manche de Graham en espérant qu'il ne la sentirait pas trembler à travers sa chemise.

— Permets-moi de te présenter…

Là, elle s'aperçut qu'elle n'avait rien préparé.

Zut ! Pendant qu'elle boxait son oreiller, comptait les moutons et tentait tous les exercices de méditation possibles, elle avait complètement négligé de chercher une explication à la présence de Jamie. Elle avait simplement prié pour que Graham et lui ne se croisent pas.

— Je te présente Jamie Malone, parvint-elle à marmonner.

Silence. Visiblement, Graham attendait des précisions.

Jamie lui tendit la main.

— Je suis son cousin. Du côté de sa mère.

Graham cilla légèrement et consentit sans enthousiasme à lui serrer la main.

— Votre accent… Vous êtes irlandais, n'est-ce pas ?

Le ton méprisant signifiait : « Vous êtes un suppôt de Satan, n'est-ce pas ? »

— Pur sang, répondit Jamie.

Graham dévisagea le cousin, puis la cousine.

— Je ne savais pas que tu avais du sang irlandais.

Entre-temps, Vicki s'était préparée à broder sur le thème.

— Non, pas moi. C'est la sœur de ma mère qui est mariée à un Malone. J'ai un oncle irlandais, et Jamie est son fils.

— Ah.

Graham hocha lentement la tête… avant de bondir d'un mètre en arrière en poussant un cri étranglé. Le quatrième larron, oublié sur son coûteux tapis persan, s'était approché du trio, prêt à se faire un nouvel ami. Graham inspecta avec dégoût la pellicule de bave canine au creux de sa paume, et jeta un regard scandalisé sur la source du délit.

— Quelle horreur ! Qu'est-ce que c'est que ça ?

Jamie planta son pied devant le chien, l'empêchant d'aggraver son cas par une exploration olfactive de sa nouvelle connaissance.

— Pardon, j'oubliais de vous présenter. Beasley Malone, *mon* cousin.

Graham se renfrogna davantage.

— Très spirituel, maugréa-t-il en allant tirer une demi-douzaine de mouchoirs en papier de la boîte à côté de l'imprimante.

Vicki le suivit en agitant la main dans son dos, espérant que Jamie saisirait le signal et disparaîtrait.

Graham s'essuya, au comble de l'écœurement.

— Je n'ai jamais vu un animal aussi hideux.

— J'admire la litote, gloussa Jamie. Je suis le cerveau de la famille, mais je dois admettre que Beasley et Vicki ont hérité toute la beauté.

Graham jeta sa poignée de mouchoirs dans la corbeille.

— Qu'est-ce que ce chien fait ici ? chuchota-t-il à Vicki.

— Juste une visite, éluda-t-elle en le poussant vers son fauteuil. Ne t'énerve pas, Graham. Assieds-toi.

Si Jamie ne partait pas, du moins se faisait-il discret en feignant effectivement de visiter la salle avec un Beasley rattaché à sa laisse.

Vicki pouvait enfin s'enquérir de la fameuse « tuile » qui avait amené Graham à l'improviste. Inquiète, elle se percha sur le bord du bureau.

— Que s'est-il passé ? C'est grave ?

Il pâlit et pressa sa main dans la sienne.

— Un désastre, Victoria.

— Mon Dieu ! Ta famille ? Quelqu'un est malade ?

— Si seulement ! Je pourrais toujours appeler un médecin. Non, c'est le container...

Aussitôt, Imogène sauta à l'esprit de Vicki. Seigneur ! Le cargo avait dû couler...

— Le bateau a pris du retard ? minimisa-t-elle. Ce ne serait pas un drame, le magasin est superbement approvisionné...

Graham rejeta d'un grognement sa tentative de le rasséréner.

— Non. La cargaison est arrivée au port hier soir.

Alors où était le problème ?

— Je ne comprends pas. C'est plutôt une bonne nouvelle.

— Ce devait l'être. Mais le courtier vient de me prévenir que notre container a été envoyé au dépôt.

— Au dépôt ? Quel dépôt ? De quoi parles-tu ?

Il pinça les narines tel un maître qui s'efforce de contrôler son irritation contre l'élève bornée de la classe.

— Victoria ! Tu n'as rien écouté quand le courtier nous a expliqué tout ça ?

Vicki conservait un souvenir mortel de cette interminable réunion avec le courtier un mois plus tôt. Si, bien sûr, elle avait suivi les grandes lignes du discours, mais ce lot d'antiquités était un projet de Graham depuis le début, c'était lui qui possédait les contacts à Amsterdam. Il avait personnellement sélectionné les pièces et y avait investi ses propres deniers ; elle n'était chargée que de la vente. Le nom de Vicki ne représentait qu'une formalité sur le bordereau. Alors oui, elle avait écouté, mais sans trop d'attention.

— Peut-être que tu devrais me réexpliquer…, suggéra-t-elle.

Graham leva les yeux au ciel.

— Normalement, commença-t-il d'une voix lente et doctorale, un container déchargé du bateau est délivré directement du quai de débarquement à son point de destination – dans notre cas, ta boutique…

— Ça, je le sais, Graham. Ne reprends pas tout par le menu. Je te demande pourquoi la marchandise est bloquée. Nous avons rempli tous les papiers nécessaires, n'est-ce pas ? Ton agent d'Amsterdam a dressé la liste des articles embarqués, ils ont été évalués pour les frais de douane, et ils ont été enregistrés, d'accord ? Nous avons suivi les instructions à la lettre.

— C'est là que tu n'as pas écouté. Toute la méticulosité du monde ne met aucun importateur à l'abri des interférences administratives.

Il serrait les poings jusqu'à en avoir les jointures blanches.

— Aussi scrupuleux que tu sois, n'importe quel petit fonctionnaire des douanes peut toujours faire envoyer ton container au dépôt pour inspection. Ça peut être une décision complètement arbitraire parce qu'il l'a choisi au hasard, ou alors c'est basé sur une broutille qui ne semble pas tout à fait conforme, un scellé qui a été brisé, ou un maudit chien qui renifle autour…

Vicki suivit le regard assassin qu'il lança à Beasley. Couché sur le parquet aux pieds de Jamie, le chien somnolait dans une douce béatitude, parfaitement inconscient qu'un humain venait de maudire toute son espèce. Jamie par contre, Vicki en était certaine, ne devait pas perdre une miette de ce qui se disait.

— Tu ne penses tout de même pas que quelqu'un se serait servi de notre container pour passer de la drogue, n'est-ce pas ? s'inquiéta-t-elle.

Graham émit un râle exaspéré.

— Ne sois pas stupide, Victoria ! Nous avons assez de problèmes comme ça. C'est simplement la malchance que ce soit tombé sur nous. D'après le courtier, ces inspections de routine peuvent immobiliser la marchandise pendant une semaine ou deux, selon le bon vouloir de ces messieurs.

Vicki en revint à son opinion initiale.

— S'il ne s'agit que d'un retard, Graham, ce c'est pas catastrophique. L'ouverture sera très réussie avec ce que nous avons là.

Elle engloba d'un geste les superbes antiquités qu'elle avait acquises par elle-même ou par son intermédiaire. Puis elle lui posa une main sur le bras.

— Je suis fière de mon travail, et de notre collaboration. Tu devrais l'être aussi. Les articles du container ne nous sont pas indispensables de toute urgence...

— Tu ne comprends décidément rien, Victoria. Ce n'est pas pour l'ouverture que je les veux ; c'est là, maintenant, tout de suite ! Je ne respirerai pas tant que ces meubles de prix seront entre les mains de ces imbéciles de douaniers qui vont les bousiller.

— Si un meuble est abîmé, nous le réparerons, plaida-t-elle. Que veux-tu que je te dise, puisque nous ne pouvons rien y faire ?

Elle jeta un coup d'œil vers Jamie, qui semblait totalement absorbé dans une vieille édition reliée cuir d'un roman de Dickens.

— Ma mère ne m'a pas appris grand-chose, mais elle a une philosophie : Quand la rivière monte, pas la peine de te faire de la bile, le tracas ne l'arrêtera pas.

— Grandiose ! Une perle de la sagesse paysanne d'Indiana ! Exactement ce que j'ai besoin d'entendre.

Pourquoi fallait-il qu'il exhibe son plus mauvais profil justement aujourd'hui ? Vicki se redressa.

— Je crois que tu as surtout besoin de décompresser, Graham. Dans l'import-export, tu affrontes des contretemps à tout bout de champ, et voilà que tu traites ce marché hollandais comme si c'était l'affaire du siècle. Rentre au bureau, plonge-toi dans un autre dossier et fais le vide là-dessus, pour l'amour du ciel !

Graham se massa le front, essayant visiblement de se ressaisir. Puis il se leva, avec enfin un ersatz de sourire.

— Tu as raison, chérie. Je ne sais pas ce qui m'a pris. Tout ça va s'arranger...

Il prit sa main entre les siennes.

— Pardonne-moi, Victoria. Je suis un peu nerveux parce que mes parents sont impatients de découvrir ton magasin, je voudrais que tu les éblouisses.

Si l'éblouissement ne tient qu'à un bahut de plus ou de moins…, songea Vicki en refermant les doigts autour de ses articulations crispées.

— Ça ira, Graham. Tes parents vont adorer la boutique.

Il lui planta un rapide baiser sur les lèvres et indiqua Jamie du menton.

— Ton cousin sera là, pour l'ouverture ?

— Je ne sais pas. Il était là depuis deux minutes quand tu es arrivé ; il ne m'a pas encore dit combien de temps il restait.

— Il ne va pas habiter chez toi, n'est-ce pas ?

— Bien sûr que non.

— Bon. Je passe ce soir en apportant le dîner ? Qu'est-ce qui te ferait plaisir ?

Du ragoût. J'ai une folle envie de ragoût ! faillit-elle s'exclamer spontanément.

— Des crêpes au homard ? suggéra Graham.

— Euh, peut-être pas. J'ai mangé des crêpes hier soir avec Louise.

Lorsqu'il la prit dans ses bras, Vicki s'appuya contre lui, cherchant le confort et l'intimité de l'homme qu'elle connaissait et en qui elle avait confiance. L'homme solide et sûr de lui, qui ne paniquait pas pour un retard de cargaison.

— Ce sera une surprise, alors, lui chuchota-t-il.

Sur quoi, ayant manifestement retrouvé son assurance, il se dirigea vers la porte. Jamie le salua avec un semi-sourire. Beasley se proposa à le raccompagner et amorça un pas vers lui, ses griffes cliquetant sur le parquet. Graham le toisa.

— Hé ! Jim, éloignez cette bête de moi.

La bête fit demi-tour sur un simple claquement de doigts de son maître.

— C'est Jamie, rectifia Jamie. Et ne vous inquiétez pas de Beasley, je crois qu'il n'aime pas votre goût.

Graham sortit en claquant la porte, laissant Vicki et Jamie face à face tandis que les clochettes carillonnaient à la volée.

Vicki attendit que Jamie parle le premier.

Il la contempla en se mâchouillant la lèvre.

— Un type extra, dit-il enfin. Amusant. Plein d'humour.

— Il l'est, habituellement, rétorqua-t-elle.

— Je n'en doute pas. Mais je ne suis pas convaincu que c'est l'homme qui convient à ma femme... ou à ma cousine.

Il ramassa la scène de chasse au renard et monta sur l'escabeau.

— Comment va votre cheville ?

— Beaucoup mieux, pourquoi ?

— Je finis d'accrocher vos tableaux et vos tapis, j'installe vos rails de spots et les baffles hi-fi qui attendent par terre, et ensuite, Beasley voudrait que vous l'emmeniez à la plage.

10.

Jamie étudia la forme biscornue du bout de bois qu'il venait de ramasser, puis le lança en un arc gracieux à une quinzaine de mètres. Nez en l'air, Beasley suivit la trajectoire du regard et attendit l'atterrissage avant de trottiner après, de sa démarche cahotante. Quand il eut le bout de bois calé entre les crocs, il s'assit, sa queue balayant un demi-cercle dans le sable.

— Il ne le rapporte pas ? s'étonna Vicki.

Le pantalon roulé aux genoux et ses sandales à la main, elle pataugeait à côté de Jamie dans les flaques laissées par la marée descendante.

— Vous n'avez pas encore compris que Beasley est le chien le plus intelligent du monde ?

Elle leva les yeux sur lui. Il arbora un air avantageux.

— Et c'est moi qui lui ai tout appris ! Tenez, la patience, par exemple. Vous voyez comme il reste assis à nous regarder approcher ?

— Oui, ça, je vois.

Son ton sceptique dénotait clairement qu'elle n'y voyait pas un signe d'intelligence animale.

— Allez-vous me dire qu'il ne brusque pas le mouvement parce qu'il se souvient que j'ai une entorse ?

Jamie laissa fuser un rire.

— Il y a peut-être de ça aussi… Mais je lui ai enseigné une leçon primordiale dans la vie : ne jamais se fouler à courir après ce qui revient vers vous de toute façon. Pourquoi me rapporterait-il un bout de bois quand il voit que je marche vers lui ?

Elle réprima un sourire.

— Brillant. D'après ce que j'ai vu de votre vie à Pintail Point, je peux croire que vous lui ayez enseigné ça. Attendre que le monde vienne vers vous semble être votre spécialité.

— Grosso modo, oui. Mais j'ai toujours poursuivi les buts qui valent la poursuite.

Il allongea le pas en ajoutant sans se retourner :

— Il n'y a pas si longtemps, j'ai roulé mille cinq cents kilomètres, rien que pour voir une fille.

Beasley se leva à son arrivée.

— Prends le temps de souffler, mon beau, dit-il en lui prenant le bâton de la gueule. Nous devons laisser la dame nous rattraper à son rythme.

Vicki était restée un peu à la traîne après le dernier commentaire de Jamie et, quand elle les rejoignit, la rougeur de ses joues ne semblait pas due au soleil de fin d'après-midi.

Jamie contempla l'océan parsemé de voiles colorées.

— C'est splendide, non ? Les alizés exactement dosés pour pousser ces voiliers… ce ne sont pas les bourrasques déchaînées de Currituck Sound.

— Non. Mais la tempête était belle aussi, dans sa puissance sauvage et terrifiante…

Il baissa les yeux sur elle.

— Vous étiez terrifiée ? Je ne l'aurais jamais deviné.

Elle pinça les lèvres et respira à pleins poumons.

— J'avais oublié que j'aime autant l'océan ! murmura-t-elle.

— Oublié ? Vous ne venez pas ici tous les jours ?

— A la mer ? Je crois que ça fait deux ans que je n'ai pas mis les pieds sur la plage.

Il en fut interloqué. Vicki semblait née pour le grand air ; son teint resplendissait, ses yeux brillaient, ses cheveux libres miroitaient...

— Comment est-ce possible ? Vous avez habité tout près.

Vicki leva la tête, soudain en alerte.

— Comment savez-vous où j'habitais ?

Jamie grimaça intérieurement. La grosse bévue ! Il venait de faire allusion au petit logement qu'elle avait occupé pendant huit ans au-dessus de sa brocante dans la banlieue de Miami. Son déménagement remontait à six mois.

Maintenant, il allait passer pour un traqueur obsessionnel...

— J'ai toujours connu vos adresses, avoua-t-il.

— Vous m'avez fait suivre ?

— Pas vous. Juste vos adresses. Cela me paraissait une information utile à détenir.

Elle resta bouche bée.

— Ne me regardez pas comme ça, Vicki. Vous êtes ma femme. Vouloir connaître votre adresse ne fait pas de moi un pervers.

Songeuse, elle détourna la tête.

— Mais, si je n'en avais pas pris l'initiative, vous ne m'auriez jamais contactée ?

— Si, sûrement. Si j'avais entendu que vous aviez gagné à la loterie, je serais venu réclamer ma moitié.

— Et si vous aviez entendu que j'étais en prison ?

— J'aurais réclamé mon droit de visite conjugale.

Elle le regarda, un sourcil arqué.

— Le pire, c'est que je vous crois !

Puis elle tira le bout de bois que Jamie gardait coincé sous son bras et l'agita devant les yeux avides de Beasley.

— Prêt ?

Elle le lança de toutes ses forces. Le chien fit comme la première fois et attendit d'avoir repéré le point d'atterrissage avant de courir après.

Vicki reprit alors sa marche en boitillant à peine, bien qu'elle fît toujours attention à sa cheville en voie de guérison.

— Sérieusement, Jamie. Pourquoi ne m'avez-vous jamais contactée ?

Il accorda son pas au sien.

— Probablement pour la même raison que vous. Si nous nous contactions, ce ne pouvait être que pour le divorce. Jusqu'à ce jour, aucun de nous n'avait rencontré la perle rare susceptible d'égaler cette heure inoubliable que nous avons passée ensemble à Orlando.

— Inoubliable, sûrement. Elle m'a hantée plus souvent que je n'oserais l'admettre.

Il lui adressa un clin d'œil.

— J'aime savoir que j'ai hanté vos pensées.

Un sourire flotta sur les lèvres de Vicki tandis qu'elle poursuivait la promenade en silence.

— N'êtes-vous jamais tombé amoureux ? demanda-t-elle au bout d'un moment. Vous n'avez jamais eu envie de vous marier pour de bon ?

Ils rejoignirent Beasley. Estimant qu'elle avait assez marché pour aujourd'hui, Jamie lança le bâton en direction du retour.

— Vous ne me répondez pas ?

— Donnez-moi un peu de temps. Une question aussi importante mérite réflexion.

Des femmes avaient traversé sa vie. Certaines sublimes, depuis sa réussite ; intelligentes, glamour, passionnées, elles le distrayaient et l'intéressaient un temps. Toutefois l'attirance du début finissait systématiquement par s'éteindre, et il revenait toujours à sa péniche. Avant elles, il y avait eu Bobbi Lee et sa trahison.

— Non, je n'en ai jamais eu envie, répondit-il enfin. Pour moi, la seule raison de se marier c'est que l'on a rencontré une personne qui remplit un vide dont on n'avait jamais eu conscience avant que cette personne n'entre dans votre vie.

Vicki hocha la tête.

— Bobbi Lee ne remplit pas ce vide ? s'enquit-elle.

— Non. Ses gamins, peut-être. Mais Bobbi n'est qu'une amie.

Elle le regarda, surprise.

— Oh ?

Il décela autant de satisfaction dans ses yeux que dans l'inflexion de sa voix.

— Et les enfants ? poursuivit-elle. Vous n'en voulez pas vous-même ?

— Si, un jour. J'adore les enfants. En attendant, j'ai adopté ceux de Bayberry Cove. J'enseigne la sculpture sur bois aux jeunes de la région. Et, comme Bobbi élève seule les siens, je suis devenu pour eux une sorte de père de substitution.

— Vous ferez sûrement un père formidable parce que vous ne vous prenez pas trop au sérieux. Les enfants ont besoin d'un certain côté amusant chez leurs parents… Croyez-en la fille de M'an et P'a Maussades, ajouta-t-elle avec une grimace.

167

Jamie lui dédia un sourire compréhensif.

— Et vous ? Aimez-vous les enfants ?

— Oui, de loin. Ceux des autres. Mais pas pour moi ; je serais probablement une mère détestable.

Jamie n'aurait pas été plus stupéfait si elle lui avait dit : « Si j'aime les enfants ? Et comment, j'en ai cinq ! »

— D'où vous vient cette idée que vous ne feriez pas une bonne mère ?

— Je ne sais pas… je ne m'en sens pas l'étoffe. J'avoue que je ne suis pas très à l'aise, avec les enfants. Peut-être parce que je n'en ai jamais fréquenté de très près. J'étais fille unique, j'habitais en pleine campagne avec des parents peu accueillants. Je n'avais pas beaucoup d'amis de mon âge.

Ils étaient revenus à son pick-up. Avant que Jamie lui ouvre la portière, elle s'y s'adossa et planta ses yeux dans les siens avec une expression ennuyée.

— Il va falloir que j'en discute avec Graham.

Décidément, elle le propulsait d'étonnement en étonnement, songea Jamie. Elle n'avait pas abordé un sujet aussi primordial avec l'homme qu'elle envisageait d'épouser ?

— Oui, certainement, répondit-il. Et vite.

— Sa famille veut des héritiers. Graham possède sans conteste toutes les qualités pour faire un bon père.

— Quelles qualités ? railla Jamie. Tout cet amusement que vous préconisez ?

User de sarcasme fut une erreur, réalisa-t-il immédiatement. Alors qu'elle était en train de se confier à lui, elle resauta à pieds joints dans l'autre camp, à la défense de son fiancé.

— Graham est amusant ! Il est même très drôle, la plupart du temps !

— Je n'en doute pas.

Il tapota le flanc du pick-up, donnant à Beasley le signal de grimper sur le plateau, puis ouvrit la portière pour Vicki.

— Ce bon Graham m'a en effet l'air d'être un joyeux drille.

Elle reprit la conversation dès qu'il s'installa au volant.

— Je comprends que vous ironisiez, Jamie. Vous l'avez croisé sous son plus mauvais jour. Moi-même, je ne l'ai jamais vu aussi contrarié pour une histoire de cargaison en retard. Mais il s'est tellement impliqué dans l'ouverture de mon magasin, il tient tant à ce que mon entreprise soit couronnée de succès...

Ne cherchant plus à rattraper ses maladresses de l'après-midi, Jamie lâcha la première stupidité qui lui vint à l'esprit.

— Il s'est peut-être beaucoup impliqué, mais pour ce que j'en ai vu jusqu'ici, c'est vous qui montez sur l'escabeau.

Vicki se raidit sur son siège.

— Dépêchez-vous, je dois rentrer avant le dîner.

Jamie roula une minute en silence mais ne put supporter l'idée de la quitter sur un froid.

— Je suis désolé, dit-il. Je n'aurais pas dû critiquer de la sorte un homme que je ne connais pas.

Elle considéra un instant ses mains croisées sur ses genoux puis eut une réponse qui le sidéra.

— Ne vous excusez pas, vous avez raison. Graham ne s'est pas impliqué dans la rénovation, ni même dans les formalités d'acquisition. Il n'a fait que visiter le local quand je l'ai eu trouvé, et me pousser à le prendre. Mais quoi d'anormal, après tout ? C'est mon magasin à moi. Graham dirige sa propre société d'import-export qui l'accapare à plein-temps. Bien sûr, il ne m'a pas aidée à déménager de mon ancienne brocante, mais il s'est activement employé à me fournir de la belle marchandise.

Elle s'interrompit le temps d'un soupir.

— Je peux me contenter d'un homme qui s'intéresse à ce que j'entreprends, Jamie. Ce n'est peut-être pas si courant.

La mélancolie qui teintait sa voix émut Jamie.

— Vous savez comment sont les hommes ! plaisanta-t-il. Donnez-leur un rouleau de papier peint, et ils sont capables de s'en servir pour marquer les scores des matchs de foot.

Vicki lui jeta une œillade en coin.

— Graham ne ferait jamais ça.

Exact. Pas M. Parfait..., songea-t-il exaspéré.

Puis elle gloussa.

— Les matchs de polo, peut-être.

Alléluia ! Elle était en train de se moquer de son prétendant !

Ils arrivaient dans l'arrière-cour. Jamie se gara à côté de la voiture de Vicki et coupa le contact en dévisageant sa passagère à la lumière du crépuscule. Avec sa peau rosie par le vent, sa chevelure ébouriffée l'auréolant d'un écheveau de chanvre doré, Vicki était la beauté même ; elle était aussi tragique par ce manque de confiance en elle.

— Pourquoi me regardez-vous comme ça ?

— Parce que vous êtes jolie.

Elle se passa une main dans les cheveux.

— Sûrement pas. Je dois être dans un état épouvantable.

— Vous avez l'air heureuse, comme si, pendant un instant, vous aviez oublié les soucis, les grandes ouvertures et les ex et futur maris accablants.

Elle sourit.

— J'ai passé un très bon moment, Jamie. Merci. C'est la première fois que je lance un bâton à un chien sur la plage.

170

Il étala le bras sur le dossier de son siège.

— Vous voulez tenter une autre expérience inédite ?

Méfiante, elle plissa les paupières.

— Du genre ?

Jamie laissa glisser la main sur le haut de son bras.

— Voir à quoi ressemble un baiser entre cousins.

Elle rejeta sa main d'un coup d'épaule.

— Je sais déjà comment vous embrassez.

— Et je sais que c'était plutôt bon. Mais ajoutons le piment illicite du lien de parenté. Votre mère est la sœur de ma mère, c'est grave ! L'interdit rend le baiser dangereux autant que palpitant...

Vicki le fusilla du regard.

— Cessez de plaisanter. C'est ma vie que vous tournez en ridicule, Jamie. Ce n'est pas drôle.

— Je ne ris pas.

Reculant au fur et à mesure qu'il approchait, elle se trouva vite bloquée contre la portière.

— A vrai dire, je n'ai aucune envie d'être votre cousin.

Il la sentit se contracter, mais elle ne l'arrêta pas quand il l'attira et pressa sa bouche sur la sienne. Elle n'émit qu'un soupir de lassitude du style « Nous y revoilà », qui s'étouffa rapidement en gémissement de plaisir quand il donna toute sa plénitude au baiser, puis en petit râle de déception quand il se détacha d'elle.

— Je crois que je dois vous laisser y aller. Je sens d'ici le dîner de Graham qui attend devant votre porte.

— Jamie...

— Ne perdez pas de temps à me réprimander, Vicki, s'il vous plaît. Je n'ai que quelques jours, alors que vous programmez de lui donner tout le reste de votre vie. Je suis obligé d'utiliser chaque minute au maximum.

— Vous êtes impossible.

— Non, je suis totalement possible, mon cœur. Je suis ce qu'il y a de plus possible dans votre vie en ce moment, si vous y réfléchissez.

Elle scruta les traits de son visage comme si elle essayait de le percer à jour – ou de se percer à jour elle-même. Puis elle descendit du pick-up. Jamie se dit qu'elle allait partir sans se retourner. Au lieu de cela, elle s'arrêta faire une caresse à Beasley avant de monter dans sa voiture. Puis elle le regarda encore pendant qu'elle bouclait sa ceinture – d'un regard qu'il ne put interpréter car la nuit était presque tombée.

— A demain ! lança-t-il.

Jamie la vit secouer la tête dans une sarabande de cheveux en bataille tandis qu'elle démarrait. Il siffla Beasley qui sauta de la plate-forme et grimpa sur le siège où il s'assit droit comme un marquis attendant que son chauffeur démarre. Jamie ébouriffa les bouclettes rêches de sa tête.

— Quelle révélation, Beas, hein ? Tu peux concevoir ça, toi ? Une femme aussi merveilleusement sensible qui s'imagine qu'elle ne ferait pas une bonne mère ? Tu as vu comme elle est gentille avec toi ? S'il y a une créature au monde que seule une âme maternelle puisse aimer, c'est quand même bien toi, tu ne crois pas ?

Il effectua son demi-tour et prit la direction du boulevard.

— Qu'est-ce que tu penses du parfait M. Townsend ? Ce type est trop crispé, même pour un aristocrate guindé. Avec ton flair de limier, tu n'aurais pas envie de fouiner un peu du côté de cette cargaison, toi ?

Pour toute réponse, Beasley s'enroula dans une position qui lui permettait miraculeusement de ramasser son corps informe sur le siège pour dormir, et sombra aussitôt dans le sommeil.

— Je suis d'accord. Tu as besoin de récupérer des activités de la journée avant d'affronter les lourdes responsabilités qui t'attendent.

Deux minutes plus tard, Jamie arrivait dans son parking où une surprise l'attendait. En descendant du pick-up avec un Beasley pressé de rentrer poursuivre sa nuit, il n'aurait pas prêté attention à la voiture garée en face, si la portière ne s'était ouverte, éclairant l'habitacle.

— Tiens, tiens, qui nous arrive là…, murmura-t-il tandis que Louise Duncan fermait ses serrures à la télécommande et marchait vers lui.

Il serra sa main tendue.

— Qu'est-ce qui me vaut l'honneur de cette visite, madame l'avocate ?

— Nous avons certaines choses à discuter. Puis-je entrer ?

Elle lui indiquait la porte de son appartement.

— Volontiers, mais à part des croquettes pour chien, je n'ai rien de très raffiné à vous offrir…

— Ne vous sous-estimez pas, monsieur Malone. Vous avez plus à offrir que vous ne le croyez.

Elle le précéda en ondulant, la minijupe de son élégant tailleur ne laissant rien ignorer de ses hanches sveltes et de ses longues jambes fuselées.

Jamie ouvrit la porte et s'effaça.

— Prenez un siège, mademoiselle Duncan. Désirez-vous une bière ?

— Volontiers, répondit-elle en s'asseyant sur le canapé.

Il alla prendre deux bières dans le réfrigérateur, décapsula les cannettes et les déposa sur la table basse.

Jambes croisées de biais, Louise Duncan se pencha pour prendre la sienne et avala une copieuse rasade sans verre.

Jamie s'installa à l'autre angle du canapé.

— Alors, qu'est-ce qui vous amène dans ma petite retraite de vacances ?

— La curiosité, répondit-elle en le regardant droit dans les yeux. J'aimerais savoir à quel jeu vous jouez, vous et votre avocat, monsieur Malone.

Il immobilisa un instant sa cannette à mi-chemin de ses lèvres, puis but plusieurs gorgées avant de répondre.

— Appelez-moi Jamie, Louise. Si vous me permettez de vous appeler Louise ?

Elle acquiesça.

— Bien, dit-il. Je suppose donc que nous n'engageons pas la guerre. Quant aux jeux de procédure, c'est vous l'avocate. Je présume que vous connaissez les règles.

— Oh oui ! je les connais. Et règle numéro un, lorsqu'un document est impeccable, comme celui que j'ai rédigé pour Vicki, la partie adverse devrait le signer. Si elle ne le signe pas, c'est que quelqu'un essaye de gagner du temps. Votre petit avocat de campagne doit savoir ça aussi. Il peut toujours ajouter une ligne ou deux afin de protéger vos intérêts à perpétuité, mais il ne peut pas me prendre pour une imbécile. De toute évidence, votre tactique ne vise qu'à contrarier les plans de ma cliente.

Jamie se cala confortablement dans les coussins, un coude sur le dossier.

— Votre cliente s'est-elle plainte d'être contrariée ?

— Pas encore, mais elle y viendra. Et, si vous espérez le contraire, c'est que vous ne la connaissez pas.

Louise Duncan reprit une goulée de bière, essuya d'un doigt délicat un résidu de mousse au coin de sa lèvre, et enfonça le clou :

174

— Vicki ne veut pas de vous, Jamie. Elle a été claire, mais vous semblez ne pas saisir le message.

— Les choses peuvent changer.

— Elles ne changeront pas.

— J'ai un avantage sur Graham Townsend...

— Vous en avez plus d'un, Jamie. Mais, même si Vicki n'est pas aveugle, vous n'êtes pas ce qu'elle recherche.

— Seulement moi, je suis son mari.

— Du pipeau !

Passant une main derrière sa nuque, elle ramassa la masse lisse de ses longs cheveux noirs et les ramena en colonne torsadée devant son épaule.

— Graham Townsend représente tout ce qu'elle briguait quand elle a eu le bon sens de quitter sa ferme : le vernis, le pedigree certifié d'origine, un mètre quatre-vingts de culture et de raffinement. C'est le dernier des crétins, mais elle ne voudra jamais le voir, tout simplement parce qu'elle s'en moque.

— Je peux lui ouvrir les yeux.

— Vous ?

Louise Duncan se rapprocha sur le canapé, posa elle aussi son coude sur le dossier, sa main ballante à quelques centimètres de celle de Jamie. Dans cette position, la profonde échancrure de son chemisier offrait une vue imprenable sur un affriolant spectacle.

— Que savez-vous exactement de son enfance ?

— J'en apprends, dit-il.

— Pas assez, visiblement.

Louise se pencha davantage et Jamie déglutit. Difficilement.

— Vicki a grandi dans un milieu à la limite de pauvreté, avec des parents qui n'avaient pas le minimum de sensibilité pour élever ne serait-ce qu'un cochon. Ils l'ont tellement écrasée, dépréciée, culpabilisée, qu'elle refuse d'avoir des enfants parce qu'elle est terrifiée à l'idée de rater leur éducation ! Vicki n'a pas eu d'enfance. Elle a vécu comme une esclave sous la coupe de ces parasites fainéants et égoïstes jusqu'à ce qu'elle trouve enfin le courage de s'échapper. Je n'ai jamais vu une fille aussi travailleuse, aussi acharnée à réussir. Elle a une volonté d'acier… sauf avec ses parents, pour lesquels elle a toutes les indulgences ; mais ça, c'est une autre histoire…

Jamie ne fut pas mécontent de recevoir cet éclairage direct sur le passé de Vicki.

Louise se pencha pour reprendre sa cannette.

— Maintenant, vous pouvez peut-être comprendre pourquoi Graham Townsend incarne tous ses rêves. Sortie de la fange des Sorenson, c'est la transmutation du plomb en or massif. Ses ancêtres ont débarqué en Amérique sur le légendaire *Mayflower*…

Elle sirota une gorgée de bière.

— Et je sais comment *vous* êtes venu en Amérique, Jamie Malone. Nous n'avons pas un jour férié pour commémorer l'événement historique.

Il lui décerna un sourire en coin ; il n'aimait pas Louise Duncan, mais se devait de l'admirer.

— Vous êtes coriace, n'est-ce pas, mademoiselle l'Avocate ?

— Je suis réaliste. Ce qui m'étonne, c'est que vous n'ayez pas encore utilisé tous vos atouts.

Plus que coriace… Me Duncan s'avérait soudain redoutable. Jamie éclusa à son tour une grande lampée de bière.

— Expliquez-vous.

— Hier, j'ai effectué quelques recherches sur l'état de vos finances, mon cher Jamie. Incidemment, j'ai découvert qui vous êtes, *J.D.* Malone. Sculpteur animalier de renom, expositions à New York, Boston, Washington… Vous êtes riche. Riche et beau. Pourquoi laissez-vous croire à Vicki que vous vivotez dans votre péniche en petit artiste régional sans envergure ?

Jamie tiqua.

— Nous avons tous nos faiblesses.

En principe, elle n'aurait pas dû déchiffrer l'énigme aussi facilement, mais la femme fatale démontra une intelligence aiguë. Elle éclata de rire.

— Vous voudriez que Vicki vous aime pour vos beaux yeux ? Qu'elle tombe amoureuse du pitoyable immigrant irlandais qu'elle a épousé il y a treize ans ? Vous délirez, mon pauvre ami ! Si vous aviez la moindre chance avec Vicki, ce serait à la rigueur avec votre compte en banque !

— Ne détruisez pas toutes mes illusions…

Il reposa sa cannette.

— Commettrais-je un délit de corruption d'avocat si je vous demandais de ne pas transmettre à votre cliente les informations que vous avez recueillies ?

Louise Duncan lui tapota la cuisse avec un fin sourire.

— Ne vous méprenez pas sur moi, Malone. Avec vous, je suis tout à fait corruptible. Vous me plaisez. Vous êtes tout ce que Townsend n'est pas, et si cela n'attire pas Vicki, moi ça m'attire. Enormément.

Il regarda sa main ; les arêtes de ses ongles vermillon lui mordaient la peau à travers son jean.

— Bien. Je suis donc assuré de votre silence, dit-il. Mais essayez-vous d'aider votre cliente, maître Duncan, ou êtes-vous simplement venue me faire des avances ?

De son autre main, Louise joua avec la chaînette qu'elle portait au cou, laissant la médaille naviguer entre ses seins, tout en dévorant Jamie de ses yeux d'obsidienne.

— Pour la première partie de votre question, oui, j'essaye d'aider ma cliente, et je vous rends service du même coup. Accordez-lui son divorce, Jamie. Cessez d'atermoyer. Vous n'y gagnerez rien et vous l'angoissez.

La main passa de sa cuisse sur son torse, paume à plat, doigts étalés sur ses pectoraux.

— Quant à la deuxième partie, si j'étais venue vous faire des avances, est-ce que ça marche ?

Jamie recula.

— Ça aurait pu, si vous ne me faisiez pas si peur.

Louise Duncan sourit et se leva en raccrochant son sac sur son épaule.

— Je produis souvent cet effet sur les hommes… au premier abord. Certains apprennent que la peur peut être un aphrodisiaque assez puissant si elle est bien canalisée…

Elle contourna la table basse, envoya à Beasley un bisou sonore et se dirigea vers la porte.

— Je ne vous facture pas cet entretien, Malone. Cadeau de la maison. Et remerciez-moi, ironisa-t-elle, les honoraires ne sont pas donnés chez Oppenheimer, Strauss & Baker…

Quand elle eut tranquillement refermé derrière elle, Jamie ramassa les cannettes et les emporta dans la cuisine.

— Cette femme est une vipère, Beas, murmura-t-il en passant devant Beasley. A faire pâlir nos petites couleuvres vipérines de Pintail Point !

11.

Le mercredi midi, pour ne pas tourner en rond, Vicki rangeait les nappes ourlées de dentelle que Hazel lui avait apportées le matin, lavées et repassées. Elle les empilait sur les étagères de l'armoire à linge, lorsque le téléphone sonna.

Elle se précipita du salon de thé à son bureau. Jamie n'avait pas donné signe de vie depuis leur excursion à la plage et la question lancinante qui l'avait rongée hier toute la journée ressurgissait : Pourquoi, pourquoi, et pourquoi ?

Elle décrocha en espérant obtenir la réponse.

— Thé et Antiquités.

— Allô, Victoria ? Ici Susan Townsend.

Aussitôt sur le qui-vive, Vicki s'assit, crispée, dans son fauteuil. C'était la première fois que la mère de Graham, emblème de la Nouvelle-Angleterre et fleuron de la bonne société de Fort Lauderdale, lui téléphonait.

— Madame Townsend, quelle heureuse surprise !

— Je me devais de vous appeler, Victoria, pour vous demander comment se passent les préparatifs. Avez-vous besoin d'aide pour l'ouverture ?

Une paire de mains en plus… Où était Jamie ? Lundi, il avait abattu un travail monstre en dépit de ses protestations, en proclamant que les cousins devaient s'entraider, que

179

Vicki en avait fait autant pour lui dans sa remise et qu'il n'avait pas refusé sa coopération.

« Cela n'a rien à voir avec le désir évident que vous m'inspirez, Vicki. J'ai une dette envers vous depuis treize ans ; il est temps que je vous renvoie l'ascenseur... » Alors elle s'était laissée fléchir, et avait trouvé son assistance indispensable, sa sympathie sincère, sa compagnie amusante. Jamie était arrivé comme une brise fraîche dans son marasme et, le lendemain, il la laissait tomber. Où était-il ?

— Non, merci, madame Townsend. Tout est sous contrôle.

Elle imaginait la manucurée Susan Townsend en train d'astiquer l'argenterie...

— Bien, mais souvenez-vous que ma proposition tient toujours en cas de besoin. D'autre part, Richard et moi sommes impatients d'assister à ce grand événement...

— Je serai enchantée de vous voir.

— Nous pensions vous inviter à dîner vendredi soir, de façon à vous détendre avant le grand jour. Que diriez-vous du Starlight Room, au sommet du Riverview Hotel sur le boulevard ?

Si vous tenez à débourser deux cents dollars par tête de pipe, je n'y vois pas d'inconvénient..., se dit Vicki.

— Le Starlight est un choix merveilleux ! Merci infiniment.

Soudain, une image de Kate Malone, avec ses beignets du Kettle de Bayberry Cove, lui traversa l'esprit. La chaleur de cette femme, son abord accueillant étaient si loin des manières distantes et du savoir-vivre collet monté de Susan Townsend... Vicki pianota sur le bureau. Où diable était Jamie ?

— Le plaisir sera pour nous, Victoria. En fait, nous avions l'intention de vous inviter samedi après l'ouverture, afin de fêter votre succès, mais...

Un soupir tronqua la phrase.

— ... eh bien, il semblerait que Graham ait d'autres projets. Quand j'ai suggéré cette date, il m'a laissé entendre qu'il vous réservait une soirée plus intime et romantique...

La voix descendit au chuchotement conspirateur.

— Pourriez-vous me dire ce qui se trame dans la splendide tête de mon fils ?

— Je n'en ai aucune idée, répondit Vicki, l'estomac noué.

Samedi soir ! Graham va m'offrir la bague samedi soir..., pensa-t-elle.

Les fiançailles tant attendues, ce qu'elle espérait depuis si longtemps allait réellement arriver. Elle pressa le poing sur son estomac afin d'essayer d'endiguer une poussée de sucs gastriques.

— A propos..., reprit Susan Townsend. Il paraît que vous avez de la famille en visite. Un cousin germain, je crois ?

— Euh... oui.

Un cousin lointain pour le moment, songea-t-elle, de plus en plus persuadée qu'il avait repris la route.

— Si vous y tenez... enfin, si vous désirez l'amener dîner avec nous, je sais ce que sont les obligations familiales. Nous pouvons réserver un couvert supplémentaire.

La tiédeur de l'invitation agaça Vicki au point qu'elle faillit l'accepter d'emblée. En même temps, elle imagina avec des sueurs froides sa situation à table entre Susan, Richard et Graham Townsend d'un côté et, de l'autre, Jamie qui se délecterait de la situation.

— Je vous remercie, madame Townsend, mais mon cousin fait du tourisme. Je doute qu'il soit encore là vendredi.

S'il n'était pas déjà parti, il partirait quand elle lui confirmerait ses fiançailles…

Et tu ne regrettes rien,Vicki Sorenson ! Jamie est amusant, mais pense à ton avenir, ma fille, se tança-t-elle.

Dans trois jours, elle porterait la bague de Graham. Cet interlude de promenades à la plage et de flirt éhonté devait prendre fin.

Tu dois définitivement rayer de ta vie ce fragment de passé avec un pseudo-mari que tu ne connais pas… et que tu ne veux pas connaître ! décida Vicki.

— Si toutefois c'était le cas, nous lui ferions une place, répéta Susan Townsend du bout des lèvres. A vendredi, donc.

— Oui, merci encore. Au revoir, madame Townsend.

Dès qu'elle eut raccroché, Vicki se plia sur le bureau, les bras serrés autour de ses côtes. Son estomac avait toujours été son baromètre du stress et là, il enregistrait un pic d'alerte maximale. C'était à cause de Jamie ! Elle n'aurait jamais dû céder au charme de sa présence et entretenir avec lui cette amitié ambiguë. Elle aurait dû au contraire exiger son divorce avec fermeté dès l'instant où il était apparu au magasin dimanche soir. Maintenant, la confrontation allait être encore plus difficile. Après avoir profité du plaisir temporaire qu'il procurait, elle allait lui annoncer que son tour de manège était terminé et lui rappeler que son avenir appartenait à Graham.

Vicki se sentait mal, comme lorsqu'elle se cachait dans la grange après avoir accidentellement cassé une assiette ou mangé en cachette une deuxième part de tarte. Aujourd'hui, sa mère revêche ne viendrait pas la débusquer pour l'enfermer dans sa chambre afin qu'elle médite sur ses péchés, mais Vicki éprouvait exactement la même angoisse, le même désarroi. La peur…

— Vic ! Vicki ! Hou hou !

Un tambourinage aux franges de son brouillard lui fit redresser la tête ; elle voyait flou comme si elle avait pleuré. Clignant des paupières, elle aperçut Louise qui s'agitait derrière la vitre en mimant des « Que se passe-t-il ? Ça va ? » avec une expression anxieuse.

Vicki alla ouvrir la porte en hochant la tête.

— Oui, ça va, dit-elle. Juste un petit coup de barre.

— Tu m'étonnes ! Tu as besoin d'un répit, ma biche.

— Pas ma biche, s'il te plaît. Je rattraperai mon retard de sommeil quand le magasin sera ouvert et que je resterai là à me tourner les pouces en attendant le client.

— Te voilà bien pessimiste. Hazel n'est pas là ?

— Travail à domicile. Nous avons reçu hier les caisses de linge de table et elle a tout emporté pour laver l'apprêt du neuf.

— Et ton futur ex ?

Vicki se retint de consulter sa montre.

— Envolé, je suppose. Il n'est pas passé hier.

Louise traita l'information avec un sourire doucereux.

— C'est un grand garçon, ne t'inquiète pas pour lui. Je plaide au tribunal à 14 heures, je t'emmène au Flanagan. Plat du jour : poule au pot, le mercredi.

Vicki en eut la nausée ; elle n'aurait même pas pu avaler une feuille de laitue. Cette fois, elle consulta sa montre.

— Non, je n'ai pas faim, et j'attends un peu…

— Tu attends qui ? demanda son amie en se laissant choir dans un vieux rocking-chair canné.

— Jamie. Il va peut-être m'apporter le déjeuner. Lundi midi, il est sorti nous acheter des sandwichs et il est revenu avec des pitas à la dinde. Uniquement pour moi, c'est certain. Peux-tu imaginer un Irlandais qui raffole du pain mexicain ? Je le vois plutôt s'empiffrer de saucisses entre deux galettes de pommes de terre...

Louise la regarda pérorer avec un sourcil en accent circonflexe par-dessus ses lunettes de soleil design.

— Où est le problème, exactement, avec ton vrai faux mari ? Est-ce qu'il ne sait pas saisir les choses, ou bien est-ce toi qui te fais mal comprendre ?

Vicki prit un air candide.

— Non, je suis très claire. Il sait que je veux divorcer et que je vais épouser Graham. Jamie et moi n'avons rien en commun...

— Ça, c'est sûr.

— Que veux-tu dire ?

— Tu es tellement plus proche de Graham Townsend ! Jamie Malone est beaucoup trop fruste pour toi, nature, sans prétention...

— Exactement. C'est dommage, parce que je crois qu'il a du talent, mais il n'en fait rien. Il n'a pas d'autre ambition que de rester un gagne-petit.

Louise ébaucha son sempiternel rictus.

— Il n'est quand même pas indigent. Je me suis renseignée sur lui. Dans son domaine, ton artiste de mari a sa petite notoriété.

— Avec ses jeux qu'il vend comme supports publicitaires ?

— Il sculpte aussi des bibelots.

— Quel genre de bibelots ?

— Des canards, des mouettes, toutes sortes d'animaux...

— La belle affaire ! Il doit rouler sur l'or.

— Je suis en train d'enquêter là-dessus, pour voir comment nous pouvons lui casser les reins...

— Quoi ?

184

Tout à coup, Jamie devenait le pauvre oisillon tout nu et sans défense et Louise, le chat affamé.

— Pourquoi voudrais-tu lui casser les reins ?

Louise écarquilla des yeux incrédules.

— Le divorce, Vic. Tu te souviens ? Je le menacerai de réclamer ta part sur son actif, avec à la clé un chantage de dénoncer sa fraude à l'Immigration s'il refuse. Au pire, tu ne risques qu'une amende ; lui, il risque l'extradition. Il pliera, crois-moi, et tu auras ta liberté.

Vicki comprenait pourquoi Me Duncan était si redoutable et redoutée dans les prétoires.

— C'est absurde, Loulou. Jamie n'a pas un sou vaillant. Il habite dans une vieille péniche que le maire du village lui a donnée...

— Eh bien, nous menacerons de le mettre sur la paille, dit tranquillement Louise en se balançant dans sa chaise. Ne prends pas cet air offusqué, Vic. C'est ainsi que la machine fonctionne, dans mon monde. Tu le veux, ce divorce, ou pas ?

Vicki buta sur la réponse.

— Euh... oui, bien sûr. Comment peux-tu me poser une telle question ? D'autant que je viens d'avoir la mère de Graham au téléphone, elle m'a plus ou moins confirmé que j'aurai la bague au doigt samedi soir.

— Super ! Alors laisse-moi gérer mon travail. Tu seras libre d'épouser M. Trop Parfait, et je n'aurai aucun scrupule à poursuivre ton ex.

— A... à... quoi... ?

Elle papillota des cils, les yeux fixés sur sa meilleure amie et le mot bourdonnant dans sa tête. Poursuivre ? Le temps que la brume se dissipe, il ne restait plus qu'une seule signification au mot à double sens.

— Tu vas *draguer* Jamie ?

— Et comment ! Sans frein, pour celui-là. J'exploiterai tous mes sortilèges féminins jusqu'à l'usure...

Louise fit onduler son corps de vamp sur le rocking-chair.

— J'adore les hommes frustes et charnels !

Le souffle coupé, Vicki ne trouvait pas de mots pour définir ce qu'elle éprouvait. Elle était choquée. Outrée. Elle se sentait...

— Eh bien, tu ne dis rien ? Tu ne sautes pas de joie ?

— Je suis surprise, c'est tout. Confondue...

Trahie !

— Je ne vois pas ce qui t'étonne. Je t'ai annoncé tout de suite que ce type-là me plaisait dès que je l'ai vu à ta vitrine. Je n'en ai pas fait mystère, ni pour toi ni pour lui. Ce n'est pas parce qu'il te laisse froide que les autres femmes, moi en particulier, ne peuvent pas succomber à ce brasier totalement primitif et sensuel qui miroite sous son charme irlandais.

— Mais... tu ne le connais même pas...

— Je le connais déjà mieux que dimanche dernier.

— Que... comment...

— Je suis passée à son appartement lundi soir. Nous avons discuté en sirotant une bière... Si tu veux, je peux lui téléphoner pour lui donner rendez-vous après ma plaidoirie cet après-midi, comme ça tu ne l'auras pas dans les jambes...

La voix de Louise s'estompait dans un mugissement plus fort que tous les vents d'Imogène. Louise était allée dans sa chambre ? Vicki n'avait même pas osé le faire, alors qu'elle était sa femme !

Lundi, en partant à la plage, Jamie lui avait montré l'immeuble en passant et, hier soir, elle avait hésité à passer prendre de ses nouvelles, étant donné qu'il ne s'était pas montré au magasin… Cependant, même dans ses pires cauchemars, elle n'aurait pas imaginé qu'il la délaissait parce qu'il perdrait tout intérêt pour elle.

Vicki attrapa son sac, et fit face à Louise qui gloussait comme une ado en train de papoter garçons dans un dortoir de pensionnat.

— Tu lèves le siège ? dit-elle à Louise.

Le gloussement se mua en ahurissement sarcastique.

— Pardon ?

— Tu décampes.

— Vic ? Serais-tu fâchée contre moi ?

— Non, mais je dois sortir. J'ai une course à faire.

— Ah bon. Je t'accompagne…

— Loulou, si tu ne pars pas tout de suite, je vais…

Vicki prit l'une des longues épingles à chapeau exposées dans un vase en porcelaine, et la brandit tel un poignard.

— … je vais te trouer la peau !

Louise se leva et recula vers la porte avec un sourire sardonique.

— Tiens, tiens… Tu en pinces pour ton mari, et tu es trop froussarde pour te l'avouer…

Vicki frappa dans le vide avec son épingle comme un tueur dément dans un film d'horreur tandis que Louise se retournait encore avant de fermer la porte.

— Je te laisse réfléchir, Vic, mais tu ferais bien de te décider. Si tu veux te contenter du dessert, très bien, épouse Townsend. Mais ne sois pas jalouse si quelqu'un d'autre profite du plat de résistance !

Vicki se gara devant la pancarte Chambres à louer, serra le frein à main d'un coup sec et sortit en avisant le pick-up de Jamie, au milieu du parking.

Elle se dirigea vers la réception où une vieille dame en caftan bigarré l'accueillit avec un sourire navré.

— Désolée, ma mignonne. Je n'ai plus d'appartement libre pour l'instant, si c'est ce que vous cherchez.

— Non, je cherche Jamie Malone. Pouvez-vous m'indiquer son numéro ?

Le sourire s'élargit.

— Ce délicieux jeune homme ! Troisième porte au rez-de-chaussée sur votre gauche. Vous êtes sa petite amie ?

— Non, répondit Vicki en s'esquivant.

Puis, se rendant compte de sa rudesse, elle lança une amabilité par-dessus son épaule :

— Merci beaucoup, madame. Excusez-moi, je suis pressée.

L'instant d'après, elle frappait à la porte. Jamie ouvrit aussitôt comme s'il attendait quelqu'un, et ses yeux s'arrondirent de surprise.

— Oh ! Vicki ! J'allais justement…

— Pourquoi ne vous ai-je pas vu hier ? lança-t-elle en franchissant le seuil. J'étais malade d'inquiétude à votre sujet.

Il referma la porte et s'y adossa, les mains enfouies dans les poches de son jean.

— J'allais justement vous dire…

— Qu'est-ce qui vous prend de marivauder avec Louise ?

Les coins de la bouche de Jamie s'incurvèrent.

— Marivauder ? Croyez-vous que je prenne notre divorce pour un marivaudage ?

— Ne finassez pas, Jamie. Vous me comprenez très bien. Imaginiez-vous que je ne l'apprendrais pas ? Louise est ma meilleure amie.

— J'en suis convaincu.

188

Beasley, qui s'était empressé vers elle la tête penchée en quête d'une caresse qui ne venait pas, émit une petite plainte. Vicki gratouilla ses bouclettes.

— Excuse-moi, mon beau, je n'avais pas l'intention de t'ignorer. Alors ? reprit-elle sèchement à l'adresse de Jamie.

— Je ne marivaude pas avec Louise.

— Mais vous la recevez dans votre chambre. Vous n'avez donc aucun principe ?

Le sourire de Jamie se fit légèrement moqueur. Manifestement, il jubilait ! Vicki fulminait.

— Comment osez-vous ? s'exclama-t-elle en se détournant pour arpenter la pièce.

Elle resta en arrêt. Il avait transformé sa chambre en atelier de menuiserie, avec des piles de bois amassées dans chaque coin, des outils sur la table et des copeaux partout autour.

— Qu'est-ce que c'est que tout ça ?

— Bois d'épave, mélèze, olivier noir, ceps de vigne…

— Je le vois bien, que c'est du bois !

Il lui mettait les nerfs en pelote.

— Où l'avez-vous trouvé ?

— C'est ce que j'essayais de vous expliquer. Lundi, sur la plage, j'ai remarqué quelques épaves intéressantes. Hier, je suis allé les ramasser et, tant que j'étais en Floride, dans la foulée j'ai fait le tour des scieries du coin pour glaner quelques échantillons d'essences régionales… Hum, s'interrompit-il, vous n'allez pas m'assommer avec, n'est-ce pas ?

Vicki avait ramassé un rondin d'un mètre de long qu'elle tournait dans ses mains en se demandant ce qu'il avait de spécial.

Elle le rejeta sur le tas.

— Ne soyez pas ridicule.

189

— Vous avez raison, je n'ai rien à craindre. Ainsi, vous étiez malade d'inquiétude pour moi ?

— Ce n'est qu'une formule excessive. Je me sens plus ou moins responsable de vous, puisque vous avez débarqué ici à cause de moi…, répondit-elle en soufflant d'exaspération.

Elle ajouta, à la lumière des derniers événements :

— Je ne pouvais pas deviner que vous étiez une girouette volage et que vous aviez changé d'objectif entre-temps.

Il repoussa la mèche rebelle qui lui tombait sur le front.

— Vous êtes toujours mon seul objectif, chérie. Mais de là à vous sentir responsable de moi, non. J'ai trente-huit ans, je me préserve très bien moi-même.

— Pas contre une Louise Duncan ! marmonna-t-elle. Vous n'avez aucune défense.

— Vous ne me croyez pas à la hauteur de votre amie ?

Sachant que Louise n'en ferait qu'une bouchée à son petit déjeuner, Vicki préféra ne pas répondre.

— Vous ne pouvez pas vous passer de construire vos jeux ? dit-elle en s'approchant de la table jonchée de copeaux afin d'inspecter son travail en cours.

Jamie la rattrapa en deux enjambées et se campa devant elle.

— J'ai une autre théorie, Vicki. Il se pourrait que vous soyez jalouse.

Elle secoua la tête avec fermeté.

— Jalouse, certainement pas. Mais comprenez que je sois troublée. Vous parcourez tout ce chemin soi-disant pour nous donner l'occasion de faire connaissance, après quoi vous disparaissez, et j'apprends que vous sirotez des bières avec Louise.

Du bout de l'index, il se traça un X sur le torse.

— Juré, que les saints me jettent en enfer si j'ai marivaudé avec votre avocate !

Vicki le regarda droit dans les yeux. Il disait la vérité.

— Louise vous veut, vous savez. Et, quand Louise veut un homme, elle arrive généralement à ses fins.

— Je n'en doute pas, mais je n'ai plus peur. Maintenant, je sais que, si elle me cherche, elle devra vous passer sur le corps avant de m'atteindre.

Vicki revint au milieu de la pièce d'un pas rageur.

— Pour l'amour du ciel ! Je vais me marier, Jamie !

— Je le sais, Vicki. Il n'empêche que vous êtes en train de contracter une sincère affection pour moi. Vous pouvez vous en défendre comme une diablesse, mais le sentiment monte en vous et se développe avec la régularité galopante des préparatifs de Noël.

La justesse de sa comparaison la prit de plein fouet. Oui, c'était exactement ce que Vicki ressentait depuis que Jamie s'était matérialisé à Fort Lauderdale : l'anticipation des matins de Noël de son enfance, ce laps de temps béni où ses parents faisaient un effort pour qu'elle se sente aimée. Les paquets colorés qui attendaient au pied de l'arbre avec son nom dessus ne contenaient peut-être que des mitaines ou des chaussettes, mais elle n'avait pas eu de corvée à exécuter pour les gagner, et elle n'était pas grondée si elle s'octroyait de précieuses minutes à les admirer une à une, et à les bercer sur son cœur.

C'était avec la même anticipation que Vicki était arrivée hier matin au magasin et qu'elle s'était couchée le soir avec la déception d'un Noël manqué.

Jamie avait raison aussi sur le premier point. Ces sentiments exaltés n'étaient dus qu'à la naissance d'une profonde affection. Ce n'était pas de l'amour ; absolument pas. Elle ne *pouvait* pas aimer Jamie !

Par contre, la tendresse, elle pouvait vivre avec.

Elle relâcha un long souffle, évacuant tout le stress, la fébrilité, la conversation avec Louise, la suspicion, les crampes d'estomac. Il lui suffisait de regarder dans les yeux d'émeraude de Jamie, et c'était comme si une source pétillante déversait son assurance en elle. Elle se sentait regonflée, dynamisée, prête à affronter les vicissitudes du moment.

Cet homme pour lequel elle éprouvait une profonde affection la rendait forte.

Lui, inclinant la tête, paraissait un peu inquiet, en fait.

— Est-ce que ça va, Vicki ?

— Oui, très bien.

Il était son ami ; il se préoccupait d'elle. Son visage paraissait soudain si familier, si doux et sincère ! La même impression se dégageait de son corps mince et robuste, viril d'une façon agréable, confortable. Pas sculpté dans les salles de musculation comme celui de Graham, mais naturel, souple… doux. Il n'y avait rien de mal à ce qu'un homme soit doux.

Sans même y penser, Vicki posa une main sur la joue de Jamie.

— L'affection est un maudit sentiment, murmura-t-elle.

L'ardeur qui brasilla dans ses yeux verts faillit l'engloutir, mais il rompit l'envoûtement en lui encerclant la taille et en l'attirant vers lui. Elle posa la joue contre son épaule.

— Ça nous arrive dessus insidieusement, je suis d'accord…

Vicki releva la tête, et cela arriva sans prévenir.

Leurs bouches se capturèrent tandis qu'ils chancelaient, maladroits, à la recherche du siège le plus proche. Le sac de Vicki glissa de son bras. Jamie tomba à la renverse sur le canapé et elle atterrit entre ses jambes, les hanches calées entre ses cuisses. Elle agita les pieds pour se débarrasser de ses sandales qui heurtèrent le carrelage avec un petit claquement.

Une succession de gestes merveilleusement désordonnés, de folles contorsions intensément excitantes, balaya toute pensée rationnelle. Les doigts de Vicki parcouraient le visage de Jamie comme s'ils voulaient d'eux-mêmes en mémoriser chaque détail. Jamie explorait son corps aussi éperdument, glissant les mains sous son pull, caressant son dos, pétrissant ses épaules, tâtonnant à la recherche de l'agrafe de son soutien-gorge.

— Devant, s'entendit-elle murmurer d'une voix qu'elle ne se connaissait pas.

Il défit adroitement la fermeture, laissant ses seins au contact de son torse alors que Vicki ne se souvenait pas avoir déboutonné sa chemise. Il ôta la barrette qui retenait sa natte, étalant ses cheveux et y enfouissant les doigts pendant que leurs bouches se capturaient, goûtant, butinant, sa langue parcourant le bord de ses dents avant de plonger à l'assaut de la sienne.

Quand la paume de Jamie couvrit son sein, tout le corps de Vicki fut parcourut de tressaillements. Chaque caresse de ses mains légèrement calleuses déclenchait des frissons proches de l'extase. Elle n'était plus qu'un océan de sensations, désir, volupté, passion, et n'avait jamais rien éprouvé d'aussi étourdissant. Il fallait arrêter cette spirale vertigineuse tant qu'il lui restait encore un brin de lucidité.

— Nous ne pouvons pas, coassa-t-elle, les lèvres pressées sur la clavicule de Jamie.

— Moi, je peux. Si vous ne pouvez pas, Vicki, dites-le-moi tout de suite.

— Oh ! Jamie, que faisons-nous ?

Si elle n'avait pas déjà perdu sa capacité de raisonnement, sa question lui aurait semblé idiote.

— Tu le sais bigrement bien, mon cœur. Et nous n'avons pas besoin de tous ces vêtements pour le faire.

Avec un râle, Vicki passa les mains sous sa chemise pour la faire glisser sur ses épaules, tandis qu'avec un petit rire grave et malicieux qui se réverbérait dans tout son être, Jamie glissait les mains sous son pull pour le lui ôter.

Soudain son sac sonna.

Vicki s'immobilisa en retenant son souffle. La réalité pénétra enfin son esprit.

— C'est mon téléphone.

— Non, affirma Jamie sur fond de sonnerie qui serinait une version électronique aigrelette de *La Petite Musique de nuit*.

Pendant qu'elle se redressait et s'asseyait pour répondre, il se couvrit les yeux avec son bras en lâchant un long soupir.

— Tu as intérêt à ce que ce soit le président, ma chérie.

Vicki répondit d'une voix haletante :

— Allô. Oui ? Quoi ? Qui est-ce ?

La voix de son correspondant la ramena des franges de la folie à la réalité où la raison prévalait.

— Victoria ? Que fais-tu ? Tu courais ?

— Graham ! Euh… non ! Je… je suis occupée.

— Où es-tu ? Je viens d'essayer au magasin.

Elle regarda Jamie. Il releva le bras sur son front et soutint son regard, décidé à écouter ouvertement. Son torse montait et descendait au rythme de sa respiration encore saccadée.

— Où je suis ? répéta-t-elle. Mais… ici… à l'extérieur du magasin.

Dieu merci, pas de mensonge.

— Bien. Ne bouge pas, j'arrive. J'ai une super nouvelle !

— Ah ? Laquelle ?

— Le container est débloqué.

— Oh ! Formidable… un miracle.

Graham ricana.

— Pas tout à fait. Disons que le papier est plus convaincant que les supplications.

— Graham ! Tu n'as pas soudoyé un fonctionnaire ? Oh ! Seigneur…

— Ne tracasse pas ta jolie tête, Victoria. C'est un moyen couramment utilisé pour graisser les rouages de la bureaucratie.

Vicki secoua la tête en une tentative d'imposer silence à une sonnette d'alarme.

— Et… Tu veux dire que le container est en route, là, tout de suite ?

— Oui, tu vas le réceptionner d'une minute à l'autre. Je t'ai envoyé mes déménageurs pour décharger et j'arrive derrière eux… Tu peux appeler ton cousin en renfort, si tu veux, ajouta-t-il après une hésitation. Je le paierai au tarif.

— Oh non ! Graham, je ne peux pas lui demander…

— Il est bien venu pour t'aider, non, d'après ce que tu m'as dit ? Ce n'est pas grave, aucune importance, se reprit-il, je ne le proposais que par gentillesse. Ecoute, chérie, j'y vais. A tout de suite.

Vicki bondit du canapé, tira sur ses vêtements et tripota ses cheveux en essayant frénétiquement de remettre un peu d'ordre dans son apparence… et dans sa vie.

— Il faut que je parte, dit-elle.

Jamie se leva et reboutonna sa chemise.

— Je m'en doutais.

Elle remit ses sandales.

— Ecoutez, Jamie, je suis désolée. J'ai agi en irresponsable ; je ne sais pas ce qui s'est passé entre nous à l'instant…

— Dommage, Vicki. Parce que moi, je vois tout cela assez clairement.

Ses joues s'enflammèrent. Bien sûr qu'elle le voyait, elle aussi, et elle n'était pas près de l'oublier.

— J'étais énervée à cause de Louise, prétexta-t-elle en fonçant vers la porte. Oh ! et à ce propos… Louise va mener une enquête sur votre solvabilité…

— Normal, c'est de bonne guerre.

— Elle s'imagine que vous avez de l'argent. C'est ridicule, n'est-ce pas ?

— Vicki, tout le monde a un peu d'argent de côté.

— Mais pas beaucoup ? Vous vivez des bibelots que vous sculptez ? Louise m'a dit que vous faisiez des canards, des oiseaux…

— Des babioles comme ça, oui.

— Et vous habitez dans une péniche que le maire du village vous a donnée…

— Par charité, termina-t-il avec son sourire espiègle.

Vicki espéra ne pas l'avoir vexé. Son inquisition ne visait pas à le rabaisser, seulement à s'assurer que Louise ne trouverait aucune prise dans ses finances pour l'attaquer.

— Je ne laisserai pas mon avocate vous dépouiller, Jamie, je vous le promets. Vous n'avez pas à vous inquiéter.

— Je ne m'inquiète pas, Vicki. Mais merci quand même.

Alors qu'elle sortait, il ramassa sa barrette en écaille et la lui apporta. Vicki la prit en évitant d'effleurer sa main.

— Vous devriez rentrer à Bayberry Cove, Jamie, dit-elle, presque suppliante.

— Je rentrerai. Mais d'abord, je vais vous aider à décharger ce container.

— Non, ne...

Il la poussa dehors.

— A tout à l'heure, Vicki.

Jamie fit rouler les muscles de son dos en étirant ses épaules. Il y avait longtemps que son corps ne s'était embrasé avec autant de fougue.

— Nous allons devoir trouver un moyen de la garder, Beas.

Le chien bâilla.

— Quoi ? Je t'ennuie, parce que tu crois que la solution est facile ? Tu penses que j'aurais dû lui dire la vérité sur J.D. Malone, un peu riche et un peu célèbre ? Mais je ne veux pas employer ce moyen-là, Beasley. Et aujourd'hui moins que jamais...

Il contempla les coussins froissés du canapé avec un sourire.

— Elle n'a pas été très loin d'oublier Graham Townsend, pendant que nous étions là, à cabrioler tous les deux... Maintenant, il faut la laisser démêler ses sentiments. Si je lui parlais de ma réussite et de mon compte en banque, je fausserais tout. Elle a besoin de m'accepter pour ce que je suis profondément, autant que j'ai besoin qu'elle m'accepte pour la même chose...

Soudain, une bouffée d'euphorie monta en lui. Pour la première fois, Jamie voyait de façon positive son avenir avec Vicki. Comme si le destin les avait gardés enchaînés parce qu'ils étaient réellement promis l'un à l'autre.

197

Il s'accroupit et gratta son compagnon derrière les oreilles.

— Je lui dirai bientôt, Beas. Dans un jour au deux. Il y a treize ans, elle m'a épousé pour les mauvaises raisons. Tu verras, elle restera mariée avec moi pour les bonnes.

12.

En tournant sur les chapeaux de roues dans la rue derrière le magasin, Vicki aperçut le porte-conteneurs qui arrivait au loin en sens inverse, presque à hauteur de son numéro. Elle accéléra de façon à lui virer sous le nez et à le précéder dans l'arrière-cour. Ne disposant même pas d'une minute pour se ressaisir, elle n'eut que le temps de sortir de sa voiture avec un sourire plaqué sur les lèvres pendant que le semi-remorque négociait son entrée.

Le chauffeur manœuvrait son camion avec une habileté fascinante. Il déposa l'énorme container à l'endroit que Vicki lui indiqua, puis il sauta de la cabine pour lui faire signer les papiers et cisailler les scellés. Comme ils paraissaient aussi pressés l'un que l'autre, les formalités furent rondement expédiées.

Vicki se précipita aux toilettes pour essayer de réparer son débraillé « ébats sur canapé » avant l'arrivée de Graham. Tandis qu'elle s'arrachait les cheveux à grands coups de brosse vigoureux, le miroir lui renvoyait l'image de son visage écarlate.

— Qu'est-ce qui t'a pris, Victoria ? Tout ce dont tu as toujours rêvé est à portée de ta main et tu as failli…

Bonté divine ! Qu'avait-elle failli faire ? Qu'aurait-elle *fait* si Graham n'avait pas appelé ?

Elle glissa son pull en jersey dans son pantalon et boucla sa ceinture d'un coup sec.

— Comment peux-tu risquer de compromettre ton avenir pour un instant de plaisir éphémère, un acte irrationnel et délirant ? Et pour qui ? Un sculpteur de canards ! Un Irlandais qui avait frôlé la prison et dont les deux frères étaient toujours derrière les barreaux !

Elle, Vicki Sorenson, qui avait passé des années à essayer d'échapper à une famille de brebis galeuses...

Vicki s'aspergea la bouche d'eau froide, sans résultat. Ses lèvres restaient gonflées des baisers de Jamie, des baisers qu'elle avait implorés, mendiés. Au premier regard, Graham verrait qu'elle n'était pas dans son état normal. Il allait poser des questions ; il l'interrogeait sans cesse, à propos de tout et de rien. Et cette fois, il ne s'agissait pas d'une vétille.

Vicki était sûre qu'elle craquerait. Cette escalade de mensonges pesait trop lourd pour elle. Elle n'avait pas le cran d'une tricheuse née. Sous le poids des remords, elle avouerait tout. Comment avait-elle pu imaginer que pour sauver sa réputation et mériter le nom des Townsend, elle serait capable de vivre avec le poids de son mariage secret ? Sa duplicité allait la tuer à petit feu !

Tu as fait pire que de dissimuler ton mariage..., se dit-elle en fermant les yeux.

O Dieu... Et voilà que maintenant, elle se laissait emporter par son « affection » pour un quasi étranger ! Elle, en quête de respectabilité, se précipitait dans les abysses du dévergondage !

Lorsqu'elle rouvrit les yeux, la glace reflétait toujours un visage cramoisi aux lèvres boursouflées et un regard hagard de femme sexuellement frustrée.

200

Tu t'es vautrée dans le plaisir avec une volupté effarante, Vicki Sorenson…, se réprimanda-t-elle.

Elle avait enfourché les montagnes russes de cette passion débridée avec Jamie comme si elle avait été mise sur terre uniquement pour vivre cette expérience-là.

Comme si Jamie n'avait jamais été un étranger.

Comme si elle avait eu l'impression de reconnaître en lui son meilleur ami dès l'instant où son nez était apparu à la vitrine de la boutique. L'ami avec lequel elle pouvait tout partager, les mensonges, les rires, les plaintes, les confidences – jusqu'à la disgrâce la plus inavouable chez une femme : sa carence de fibre maternelle.

La seule chose que Vicki ne lui avouerait jamais, c'était les sentiments terrifiants qu'il avait fait naître en elle. Maudit Jamie ! Avec son humeur égale et son joyeux caractère, il était parvenu à semer la pagaille dans son esprit. Depuis qu'ils s'étaient trouvés cloîtrés dans cette péniche, il passait son temps à la détourner des buts qu'elle s'était fixés. Sans grands discours, par un simple regard, une taquinerie, une caresse, il l'amenait presque remettre en cause sa conception du bonheur parfait, à savoir son mariage avec Graham.

Elle se laissa choir dans le fauteuil en rotin à l'angle des lavabos.

— Folle que tu es, Vicki Sorenson ! Tu es en train de bâtir ton avenir sur de l'or pur, tu vas entrer dans une famille qui représente ton idéal de culture et de raffinement… Tu devrais remercier ta bonne étoile qu'un homme tel que Graham Townsend ait jamais posé les yeux sur toi !

Graham l'avait acceptée dans son monde ; si elle possédait un minimum d'intelligence, Vicki ferait tout pour mériter la foi qu'il plaçait en elle… Comment pouvait-elle envisager de céder à l'appel d'un canard boiteux ? Elle ne pourrait jamais être heureuse si elle ne réalisait pas son rêve avec Graham.

Forte d'une nouvelle détermination, elle se releva, se plaça face au miroir et se regarda droit dans les yeux :

— Fuis les Jamie Malone et tous les charmants bohèmes qui croiseront ton chemin, Vicki ! Cours aussi vite et aussi loin que tu peux sur la route que Graham ouvre devant toi, et ne regarde jamais en arrière !

Tout en monologuant, elle se frottait les bras jusqu'à la douleur afin d'effacer le souvenir des mains de Jamie sur sa peau.

— Tu le dois, Victoria. Il le faut…

Jamie attendit une petite heure avant de se mettre en route, avec un petit paquet en poche et bon espoir au cœur.

— Tu restes là, aujourd'hui, Beas. J'y vais à pied. Toi, tu gardes la maison et le pick-up ; je te rapporterai un hamburger.

Si le chien ressentit de la déception, il ne l'extériorisa qu'en soulevant une demi-paupière somnolente.

Jamie partit sans perturber sa sieste.

Il avait conscience que son arrivée au magasin perturberait davantage Vicki. Bien qu'il ne voulût pas la mettre mal à l'aise, il n'allait pas non plus faire comme si rien ne s'était passé entre eux. Une femme telle que Vicki ne tombait pas sur un canapé en arrachant les vêtements d'un homme à moins que de brûlantes émotions ne bouillonnent sous les froides apparences. Jamie comptait l'amener en douceur à affronter ses propres sentiments.

Il arriva par l'arrière-cour. Le container venait d'être livré et quatre déménageurs s'activaient – non, ne s'activaient pas vraiment – à le décharger. Deux d'entre eux, adossés à l'intérieur contre les parois, s'interrogeaient sur ce qu'ils allaient emporter ; deux autres traînaient un meuble sur la rampe inclinée.

— Vous devriez transporter ce bahut en le portant, conseilla Jamie. Le vieux bois est fragile ; vous pourriez lui casser un pied en le traînant de cette façon.

Les deux types le regardèrent comme s'il débarquait d'une autre planète. Jamie leur montra l'exemple en attrapant le meuble par en dessous. C'était un buffet rustique en châtaignier massif, relativement lourd. Ils le transportèrent à trois.

Quand ils franchirent la porte de l'arrière-boutique, ils entendirent résonner la voix furieuse de Graham.

— Je n'arrive pas à le croire ! Tu étais là, et tu n'as pas ouvert à mes déménageurs !

— Je ne savais pas qu'ils attendaient devant, Graham ! J'étais occupée dans la cour avec le chauffeur du camion. J'avais les papiers à signer...

— Tu aurais pu les guetter, Victoria. Je t'avais appelée exprès pour ça ! Ils disent qu'ils ont poireauté une demi-heure sur le boulevard ! Je ne paye pas mon personnel à fumer des cigarettes sur le trottoir !

— Ils auraient pu faire le tour et me trouver, suggéra-t-elle au moment où Jamie entrait, transportant le bahut avec les employés en question.

— Où doit-on le déposer ? demanda-t-il.

Vicki le regarda fixement et son visage se teinta du rose le plus révélateur. Même en pleine prise de bec avec son fiancé, elle n'avait manifestement pas oublié ses ébats avec son mari.

Insensible aux ondes qui passaient entre eux, Graham indiqua un emplacement au centre de la salle et accueillit Jamie avec sa condescendance naturelle.

— Ah ! Malone. Vous voulez être engagé dans l'équipe, vous aussi ?

— Ne sois pas désagréable, Graham ! le réprimanda Vicki d'un ton cinglant.

— Simple consultant bénévole, mon cher, rétorqua Jamie. Je doute que vous puissiez vous offrir mes services. Mais, à titre de conseil gratuit, la répartition serait plus harmonieuse si vous exposiez ce bahut volumineux dans l'angle du mur là-bas, à la place de la petite coiffeuse qui n'est pas du tout mise en valeur.

— Jamie a raison…, hasarda Vicki que Graham interrompit aussitôt.

— Victoria, nous avons déjà perdu une demi-journée samedi dernier à décider ensemble de l'agencement ; nous n'allons pas recommencer. Si tu mettais tous les meubles en valeur, ils s'étoufferaient les uns les autres. Le client a besoin de fouiner, de dénicher la petite merveille dissimulée qu'il n'avait pas vue d'entrée ; c'est la trouvaille qui l'incite à acheter. Hé ! Mattew !

Il claqua des doigts à l'adresse d'un déménageur, comme Jamie le faisait avec Beasley.

— Cette console va là-bas, entre les deux armoires, indiqua-t-il.

Puis il feuilleta son calepin, prit une étiquette festonnée dans le paquet ouvert sur le bureau, et y inscrivit un chiffre au feutre noir.

Vicki jeta un œil et fronça les sourcils.

— N'est-ce pas un peu cher pour une simple console ?

— On dirait que tu ne connais pas ton métier, Victoria ! La clientèle du boulevard adore marchander. Donc, sur les petits articles, tu as besoin d'une plus grande marge, expliqua-t-il d'un ton pontifiant en nouant le fil doré de son élégante étiquette sur la ciselure de cuivre qui entourait le plateau.

Jamie tiqua sur le prix, lui aussi. Cette console en palissandre lui paraissait des plus ordinaires. On en trouvait à peu près dans toutes les maisons irlandaises. Se gardant toutefois de formuler son opinion, il erra dans la salle afin d'examiner les autres articles déjà étiquetés. Il resta cloué devant une petite vitrine murale en acajou à vitres biseautées, d'environ soixante-quinze centimètres de haut, qui avait été déposée sur un fauteuil en attendant d'être suspendue.

La stupéfaction lui fit émettre un sifflement.

— Qu'a-t-elle de si extraordinaire, cette vitrine ?

Vicki vint lire l'étiquette.

— Oh ! Graham, c'est beaucoup trop ! Personne ne voudra payer cette fantaisie deux mille cinq cents dollars, ni même marchander à partir de ce prix-là !

Graham se campa entre eux.

— Dites-moi, Malone, que connaissez-vous aux antiquités ?

Jamie sourit.

— Je m'y connais un peu en bois, et je crois avoir une certaine notion de la valeur des choses.

— Sans doute en fonction de vos moyens, ironisa l'arrogant peronnage. Ces pièces sont d'une qualité digne des musées, si ce mot a une signification pour vous.

Jamie faillit répliquer que oui, qu'il en avait visité quelques-uns à Belfast avec sa mère dans son enfance et d'autres par la suite, mais il se souvint *in extremis* que sa mère était censée être la sœur de celle de Vicki.

Se massant le menton, il feignit de réfléchir à la question.

— Eh bien oui. Il s'avère que l'Irlande possède un ou deux musées, et que mes aïeux étaient férus d'art celtique.

Ils m'ont légué de belles brochures sur les tribus qui vivaient dans nos collines quatre cents ans avant J.-C., ce qui m'a donné une certaine approche des antiquités.

Sa science archéologique fut écrasée de mépris.

— Parlons débris de vieilles cruches et de pièces rouillées extraites de fouilles ! Vous savez quoi, Malone ? Pourquoi n'iriez-vous pas étudier vos tessons de poterie ailleurs ? Ici, c'est moi l'expert en antiquités européennes et, faites-moi confiance, j'ai ma clientèle de connaisseurs.

Jamie se retint d'amorcer une polémique sur le délicat travail d'orfèvrerie des joyaux de l'art celte qui avaient été exhumés du sol irlandais. Il ne gagnerait rien à se montrer aussi pompeux que son rival. Si Vicki avait à choisir entre deux fanfarons également imbuvables, il risquait de finir perdant. En fait, à la façon dont elle poussait du coude le prétendu amour de sa vie, elle pouvait être en train de pencher en faveur du modeste Malone.

Les abandonnant tous deux à leurs occupations, Jamie poursuivit son tour de la salle. Dans l'ensemble, la plupart des prix, quoique assez élevés, se justifiaient dans un quartier chic. Tous les gros meubles nécessitant une livraison étaient approximativement bien évalués. Par contre, sur certains articles plus légers, de ceux qui pouvaient s'emporter au débotté dans une voiture, on croyait lire un zéro de trop.

La petite coiffeuse en merisier, style 1920, jolie, mais des plus communes, était étiquetée à quatre mille deux cents dollars. Une commode en noyer d'avant-guerre, de ces vieilleries héritées des grand-mères et dont les gens se débarrassaient régulièrement pour trois sous dans les brocantes de l'autre côté de l'Atlantique, était chiffrée à plus de cinq mille. Même en comptant les frais d'importation, la fourchette de marchandage et la marge bénéficiaire, ces prix semblaient faramineux.

En fin d'après-midi, lorsque le container fut vidé, Graham prit congé, non sans réitérer ses dernières instructions à une Vicki visiblement épuisée. Pendant qu'elle écoutait son fiancé palabrer devant la porte, Jamie revint vers le bureau, sortit le paquet qu'il avait jusque-là gardé dans sa poche et le glissa dans son tiroir à classement, par-dessus son sac, là où il était certain qu'elle le trouverait. Puis il alla dans la cuisine lui préparer un thé.

Quelques instants plus tard, guidée par le sifflement de la bouilloire, Vicki le rejoignit en grimaçant un sourire.

— Comment avez-vous deviné ce dont j'ai besoin ?

Jamie la fit asseoir à une table du salon de thé et prit place en face d'elle. Enveloppant la tasse de ses mains, elle s'absorba dans la contemplation de son thé fumant. Les ridules de stress au coin de sa bouche et le léger affaissement de ses épaules ne donnaient pas envie de la tarabuster, mais Jamie ne put taire ses inquiétudes.

— Sincèrement, Vicki, vous ne trouvez pas que les prix de Graham sont un peu exorbitants ? demanda-t-il.

Elle en convint mollement.

— Oui… mais je dois lui faire confiance. Graham a investi ses propres capitaux dans cette cargaison. Il connaît sa partie, et il tient autant que moi à la réussite de l'affaire.

— Vicki, quand j'étais gamin, à Belfast, je me souviens avoir vu des meubles identiques dans beaucoup de maisons du voisinage. Ce n'étaient pas des pièces rares, rien que des meubles d'ouvriers ou de classes moyennes. Même en tenant compte de l'inflation, je doute qu'ils atteignent aujourd'hui un telle valeur.

Vicki tourna la cuillère dans sa tasse.

— Je travaille dans la brocante depuis assez longtemps, Jamie. Je lui ai exprimé les mêmes réticences, mais il m'a fait remarquer à juste titre que les modes évoluent. Il m'assure que ces meubles commencent à être en vogue et qu'ils feront ma fortune. Pour certains articles, il m'interdit même le moindre marchandage, je ne dois les laisser partir qu'au prix indiqué. Comme c'est lui qui risque son argent, je suis bien obligée de le croire...

Elle but une gorgée de thé et conclut avec emphase :

— Graham s'y connaît en antiquités, Jamie. Il a le flair, sinon son entreprise ne serait pas aussi florissante. C'est son métier.

— Dans ce cas...

Voyant qu'il ne parviendrait pas à la convaincre d'approfondir le sujet, Jamie abandonna en se promettant de le creuser par ses propres moyens, d'une façon ou d'une autre. Il consulta sa montre. 18 h 45.

— Et si nous décrétions que la journée est finie ? proposa-t-il. Je vous raccompagne chez vous et, si vous voulez, je vous fais couler un bain...

— Non !

Vicki se redressa si brusquement que son genou heurta le pied de la table, ce qui envoya le contenu de sa tasse gicler par-dessus bord. Elle s'empressa d'éponger le thé avec une serviette en papier.

— Je veux dire, bredouilla-t-elle... il n'est pas nécessaire de me raccompagner. D'ailleurs, j'ai encore du travail ici ; je dois cocher l'inventaire, vérifier que tout concorde avec le bordereau du courtier...

Elle parlait à toute vitesse sans le regarder.

— Graham ne me ferait pas d'ennuis s'il manquait quelque chose, mais c'est quand même moi qui ai signé les papiers de douane et qui suis responsable de la cargaison.

Jamie enregistra l'entière portée de ses paroles.

— Je comprends. Avez-vous mangé, aujourd'hui ?

Vicki leva la tête et ses ridules de fatigue se dissipèrent dans un sourire penaud.

— Un petit pain ce matin et une barre chocolatée vers midi.

— Je vois... Je vais aller nous chercher un cheese burger en face, avec double portion de frites, et ensuite nous nous attelons à votre inventaire.

— Non, Jamie, vraiment, vous n'êtes pas obligé, protesta-t-elle.

Toutefois, elle se pourléchait inconsciemment la lèvre comme une affamée qui a l'eau à la bouche.

— Si, je suis obligé. J'ai promis un hamburger à Beasley, et, si je ne lui en rapporte pas, il ne me le pardonnera jamais.

Alors qu'il se levait, elle l'arrêta en posant une main sur la sienne.

— Pourquoi êtes-vous si gentil avec moi, Jamie ?

Il lui sourit.

— Vous êtes ma femme, Vicki. Du moins pour l'instant. Si un homme ne peut pas être gentil avec sa femme, que ferait-il de sa vie ?

Il recouvrit sa main de sa main libre.

— A Orlando, je ne vous ai peut-être pas choisie de façon traditionnelle, mais j'ai néanmoins prononcé des vœux. Maintenant que je vous ai retrouvée, j'ai l'intention de les respecter pendant que la chance m'en est encore offerte.

Puis il la lâcha, se dirigea vers la porte et se retourna avant de sortir.

— A vrai dire, c'est vous, mon cœur, qui mettez la bonté en moi.

Vicki esquissa un petit sourire.

— J'ai l'impression que la bonté est dans votre nature sans l'aide de personne, répondit-elle.

Presque aussitôt après le départ de Jamie, le carillon de la porte côté Antiquités tinta. Vicki s'aperçut qu'elle avait oublié de verrouiller derrière Graham.

Elle alla accueillir à regret le client qui se présentait prématurément.

— Désolée, monsieur, mais le magasin n'est pas encore ouvert. J'espère que vous pourrez revenir pour le cocktail d'ouverture, samedi après-midi.

— Je ne serai plus en ville, et de toute façon ce serait trop tard, dit l'homme d'un ton anodin. Je cherchais un cadeau pour l'anniversaire de ma femme, et je viens d'apercevoir la petite merveille idéale dans votre boutique.

Vicki se demanda soudain ce qui l'empêcherait de vendre avant l'ouverture officielle. Elle avait affaire à un riche touriste de Miami, vêtu d'une coûteuse chemise de soie bigarrée, pantalon en lin et mocassins en cuir. Exactement le genre de Crésus qui avait les moyens d'acheter une antiquité à la va-vite sans trop marchander. Elle ne pouvait se résoudre à refuser son premier client.

— Qu'est-ce qui vous intéresserait ? Le vase Lalique, peut-être ?

— Pas du tout.

L'homme traversa la salle, mettant le cap sur la coiffeuse à quatre mille deux cents dollars, l'un des prix que Graham lui avait défendu de baisser. En le voyant examiner l'étiquette, Vicki fit une croix sur sa vente. Elle avait eu beau prendre la défense de Graham devant Jamie, elle était d'accord avec lui sur la surévaluation de certains articles, dont cette coiffeuse.

Adieu, veau, vache, cochon, couvée ! songea-t-elle en s'attendant à voir son touriste ressortir.

Au lieu de cela, il sortit son portefeuille.

— Je l'emporte, j'ai mon 4x4 dehors.

Pendant un moment, Vicki ne put que regarder fixement la liasse de billets qu'il compta du doigt avant de la lui tendre.

Comme elle n'esquissait pas un geste pour prendre l'argent, il agita sa liasse avec impatience.

— Un problème ?

— Euh… non, rien, se reprit-elle. Donnez-moi une seconde, monsieur, je vais rédiger votre facture.

Elle se rendit à son bureau et passa les billets au détecteur. Ce n'étaient pas des faux.

Trois minutes plus tard, elle tenait la porte à l'homme qui sortait en traînant les pieds de la coiffeuse sur le trottoir. Il hissa le meuble dans son luxueux tout-terrain, lança un salut en direction de Vicki puis se mit au volant et démarra. Ses feux arrière se perdirent dans la circulation du soir le long du boulevard.

Vicki referma la porte et se laissa tomber dans le fauteuil le plus proche en serrant ses mains l'une contre l'autre afin de juguler leur tremblement. Elle venait de gagner le jackpot ! C'était incroyable. Un vrai miracle, vu sa situation financière… Hier, elle avait envoyé jusqu'au dernier sou de ce qu'il lui restait de ses économies en Indiana pour payer les réparations du break de ses parents. Et ce soir, pfft ! en une transaction qui lui avait pris trente secondes, elle renflouait le compte du magasin de quatre mille deux cents dollars ! Est-ce que la roue de la fortune tournait enfin en sa faveur ?

Grillant soudain d'impatience de raconter sa fabuleuse aventure à Jamie, Vicki se propulsa de nouveau vers la porte pour guetter le restaurant d'en face. Combien de temps fallait-il pour acheter deux hamburgers ?

Pendant qu'elle piaffait d'excitation, aux aguets devant la vitre, l'anomalie de sa réaction la frappa tout à coup. N'aurait-elle pas dû plutôt se précipiter sur le téléphone pour partager la bonne nouvelle avec Graham ? C'était à Graham qu'elle devait son succès. C'était lui qui avait fixé ce prix extravagant, alors que Jamie n'affichait que son scepticisme.

Qu'est-ce qui déraille chez toi, Victoria ? s'interrogea-t-elle pour la centième fois de la journée.

Elle ne se précipita pas sur le téléphone pour autant, car Jamie revenait à grands pas.

Vicki lui ouvrit à la volée, les mots se bousculant dans sa bouche.

— Vous n'allez pas le croire ! Devinez ce qui vient de m'arriver ! Non, vous ne pourrez jamais !

Elle courut rafler la liasse de billets dans son tiroir-caisse et l'agita joyeusement devant lui.

— Qu'est-ce que c'est, à votre avis ?

Jamie déposa le sac de nourriture sur une table du salon de thé en balayant la salle du regard avec un calme exaspérant.

— Vous avez vendu la coiffeuse.

La jubilation de Vicki retomba comme une voile par calme plat.

— Pourquoi me coupez-vous mes effets ? maugréa-t-elle.

— Désolé, Vicki, mais la place vide dans l'angle saute aux yeux. C'était comme si vous m'aviez demandé de deviner pourquoi il y a des traces de sabots sur la moquette du séjour alors que le cheval est allongé sur le sofa.

Apparemment, rien ne pouvait échapper à l'esprit d'observation de Jamie Malone. Si son effet de surprise était raté, Vicki ne laissa pas s'éteindre son enthousiasme. Elle agita de nouveau les billets avant de les ranger.

— Quatre mille deux cents dollars, plus taxes.

Jamie lâcha un long sifflement.

— Impressionnant, madame Super Antiquaire.

Elle rejoignit la table en se dandinant de fierté.

— Je suis douée, n'est-ce pas ?

Il lui tint sa chaise pendant qu'elle s'asseyait.

— C'est quelqu'un d'ici ? Que vous connaissez ?

— Non, un touriste de passage. A vrai dire, je n'ai pas eu à beaucoup déployer mes talents de vendeuse. Il cherchait un cadeau pour sa femme et la coiffeuse lui a tapé dans l'œil à travers la vitrine. Il savait exactement ce qu'il voulait en entrant…

Elle pianota d'euphorie sur la table.

— En tout cas, de toutes les boutiques du boulevard, c'est dans la mienne qu'il a trouvé son bonheur ! N'est-ce pas fantastique ?

— Il n'a pas discuté le prix ? demanda Jamie en apportant les assiettes.

— Pas un centime ! Il a ouvert son portefeuille, il m'a donné la somme, et il a emporté la coiffeuse qui, en dépit de vos doutes, devait valoir le prix fixé par Graham.

Jamie resta debout, baissant les yeux sur elle.

— Honnêtement, Vicki, vous ne trouvez pas cette transaction un peu bizarre ?

— Bizarre ? Je la trouve fabuleuse, au contraire ! Elle dépasse mes rêves les plus fous !

Il hocha la tête.

— Un étranger débarque dans cette boutique avant l'ouverture, et le jour où le container vous est livré. Il ne s'intéresse qu'à un seul meuble, qui n'était pas exposé en évidence dans la vitrine, il ne jette pas un regard sur les autres articles et ne discute pas un prix exorbitant...

— Arrêtez, Jamie !

Elle n'allait pas le laisser gâcher sa joie.

— Cette vente me sauve de la famine ! Ce client ne pouvait mieux tomber ! Etes-vous incapable d'accepter que Graham ait eu raison sur l'évaluation de ses meubles d'Amsterdam ? Il a du métier, il sait ce qu'il fait.

— Ça, je n'en doute pas une minute, répliqua Jamie avec un ricanement amer. Mais que fait-il ? Là est la question...

La moutarde monta au nez de Vicki.

— Vous êtes trop soupçonneux, à la fin ! s'exclama-t-elle en sortant du paquet sa part de hamburger frites et lui fourrant le sac dans les mains. J'espérais un repas joyeux, mais, si vous êtes incapable de fêter l'aubaine avec moi, rentrez manger avec Beasley ; je préfère dîner seule que d'endurer vos suspicions !

Jamie la considéra un long moment, comme s'il hésitait sur la conduite à adopter. Finalement, il replia le haut du sac en papier et quitta le salon de thé par l'arrière-boutique.

13.

Vicki le regarda s'éloigner et disparaître dans le couloir. En l'entendant bifurquer vers les toilettes, elle conserva bon espoir qu'il revienne sur ses pas. Dans un instant, il allait réapparaître, lui asséner une de ses vérités premières avec son aplomb typique et mordre à belles dents dans son hamburger. Le Jamie Malone qu'elle commençait à connaître n'était pas homme à abandonner si facilement la partie.

Quelques minutes plus tard, sa déception fut cruelle lorsque le bruit de ses pas régressa vers la porte de derrière, qui s'ouvrit et se referma calmement, laissant le magasin plongé dans un silence sépulcral.

Bien sûr, Jamie venait de faire exactement ce qu'elle lui avait demandé ; mais depuis quand obéissait-il à ses volontés ? Et puis zut ! Après tout, que lui importait ? Si cet entêté d'Irlandais était incapable de se comporter en adulte et de célébrer sa première vente avec elle de gaieté de cœur, eh bien oui, qu'il aille au diable ! Vicki aimait mieux dîner seule.

Toutefois, son appétit s'était évaporé. Le vide du magasin lui parut soudain oppressant, et elle ne se sentait plus le courage de s'attaquer à l'inventaire. Elle se détendrait mieux chez elle.

Elle emballa ses victuailles dans une pochette de Thé et Antiquités, nettoya la table et alla prendre son sac. En ouvrant le tiroir de son bureau, Vicki resta bouche bée devant un paquet rose fuchsia entouré d'un ruban argenté. Le pouls cabriolant, elle tira la carte qui dépassait de la pliure du papier. Une belle écriture ferme indiquait : *Bois d'épave de la plage en Floride. J.D.M.*

Vicki serra le paquet sur sa poitrine. Un cadeau de Jamie ! Quand l'avait-il glissé là ? Avant qu'elle l'ait envoyé paître, c'était certain. O Dieu, Jamie...

Avec la même fascination révérencieuse qu'aux anciens Noëls de Maple Grove, elle posa le paquet sur son bureau en essayant de deviner la forme de l'étrange objet sous ses doigts. Puis elle dénoua méticuleusement le ruban, et ouvrit lentement le papier sans le déchirer.

— Oh !

Le murmure de ravissement lui échappa comme si elle contemplait l'une des Sept Merveilles du monde. Ses yeux s'embuèrent devant la sculpture en bois gris délavé de l'animal au long museau, au crâne en ogive, au grand corps efflanqué sur ses hautes pattes désarticulées. Chaque poil des bouclettes de fourrure était ciselé avec une précision d'orfèvre dans le bois d'épave qui rendait son exacte couleur. Seuls les petits yeux étaient rehaussés d'une touche de peinture dorée qui traduisait parfaitement l'expression de son regard.

— Oh ! Beasley, tu es sans conteste la plus belle créature de la terre... et la plus intelligente aussi, évidemment ! ajouta-t-elle en souriant au souvenir des explications de Jamie lorsqu'ils se promenaient sur la plage.

L'émotion la submergea quand elle remarqua le rectangle de surface lisse dans l'herbe ciselée entre les pattes. Gravées sur le socle, la date et la signature, les initiales J.D.M., étaient accompagnées d'une sobre dédicace : *Avec mon affection.*

La gorge nouée, Vicki répéta les mots qui avaient failli l'entraîner trop loin ce midi :

— L'affection est un maudit sentiment.

Sa moitié de hamburger lui pesant sur l'estomac comme du béton, Jamie regarda Beasley ne faire qu'une bouchée du reste, puis entreprit de lui expliquer le plan qu'il avait ébauché sur le vif quand Vicki l'avait congédié.

— Je suis d'accord, c'est un peu fou. Mais elle ne me laisse pas d'autre solution, tu comprends ? Elle m'oblige à jouer les Arsène Lupin, et je vais avoir besoin de toi. Tu auras intérêt à être vigilant, parce que si quelqu'un nous surprenait…

La sonnerie du téléphone l'interrompit. Il décrocha l'appareil sur la table de chevet.

— Allô ?

— Salut, J.D. ! C'est Brian.

Un sourire lui jaillit du cœur. En dehors des sentiments personnels qui le liaient au fils de Bobbi Lee, le gamin était véritablement adorable.

— Comment va, champion ?

— Ça va. Je voulais juste savoir si tu serais là vendredi pour l'atelier, parce que si t'es pas rentré j'irai jouer chez Greg, mais maman a dit qu'il faut prévenir Shirley et que je devais t'appeler pour te demander.

Mère au foyer, Shirley avait l'habitude de garder Brian à l'improviste n'importe quand. Ce n'était donc certainement pas parce qu'il fallait la prévenir que Bobbi envoyait son fils aux nouvelles. D'autant que Jamie avait téléphoné hier matin à Becca Lovell et que l'adolescente avait sûrement répercuté l'information à tous les parents du groupe.

— Non, bonhomme, désolé. Je ne serai pas rentré vendredi.

— Mais quand est-ce que tu rentres ? Maman dit que tu vas avoir des gros ennuis si tu commences pas à travailler sur les trucs que tu dois faire pour le musée de Boston.

Jamie s'absentait assez souvent de Pintail Point, mais c'était la première fois que Bobbi Lee s'en inquiétait tant. Il supputa qu'elle n'allait pas tarder à se mêler à la conversation.

— Je pense revenir au début de la semaine prochaine, lundi ou mardi, répondit-il.

Une voix en arrière-fond confirma son pronostic.

— C'est Jamie ? Tu l'as enfin eu ?

Jamie écarta l'écouteur de son oreille. Même à mille cinq cents kilomètres de distance, Bobbi Lee était un bulldozer avec lequel il fallait compter.

— Ouais, m'man, lança Brian.

— Demande-lui quand il rentre.

— Lundi ou mardi.

— Demande-lui s'il rentre seul.

— Ben non, tout seul, ça risque pas !

Jamie cligna des paupières.

— Pourquoi dis-tu ça, Brian ? Je ne t'ai jamais dit…

— T'as emmené Beasley avec toi, non ? Tu vas pas le laisser en route, quand même !

Jamie éclata de rire.

— Oh ! Beas, bien sûr ! Tu devrais préciser à ta maman que tu parlais de Beasley, je crains qu'elle ne soit pas sur la même longueur d'onde.

Son jeune interlocuteur marqua un temps de réflexion.

— Ah ouais… parce qu'elle croit que tu vas revenir avec ta femme ? Celle qui s'est foulé la cheville le jour de l'ouragan ? Tu vas rentrer avec elle ?

L'anecdote avait atteint l'école élémentaire de Bayberry Cove. Jamie n'en fut pas surpris, mais le moment ne lui sembla pas opportun pour expliquer à un gamin de neuf ans de complexes relations entre adultes.

— Je ne sais pas encore, Brian. Pour l'instant, ce qui est sûr, c'est que je rentre avec Beasley, mardi au plus tard. Maintenant, il faut que je te quitte, parce qu'il attend sa promenade du soir.

— O.K., à mardi, alors. Fais-lui un gros câlin pour moi.

— Je n'y manquerai pas.

Jamie raccrocha rapidement pour ne pas laisser à Bobbi Lee le temps d'arracher le combiné à son fils. Il ne se sentait vraiment pas d'humeur à disputer un round avec elle.

Il attrapa la laisse et sortit avec Beasley qui, sans être très actif, avait toutefois besoin de dépenser un peu d'énergie avant de tenir un rôle de sentinelle immobile et silencieuse au milieu de la nuit.

Jamie l'emmena faire une promenade de repérage sur le boulevard. En longeant le trottoir d'en face, il eut l'heureuse surprise de constater que Thé et Antiquités était fermé. A part les veilleuses de sécurité, la boutique était plongée dans l'obscurité ; Vicki avait renoncé à son inventaire – une bonne chose. Il pouvait espérer qu'avec la fatigue de la journée, elle dormirait très bientôt à poings fermés, pelotonnée dans son lit – et seule, comme il préférait l'imaginer.

Il revint par la rue de derrière et jeta un coup d'œil dans la cour en se félicitant que le container ait été déposé à la place qui servait le mieux ses desseins.

— C'est ici que tu vas travailler, Beasley, chuchota-t-il. Mais avant, on va retourner à l'appartement. Il faut que je me change.

Vers 22 heures, Jamie ressortit de son appartement tout de noir vêtu. La tenue ne lui paraissait pas indispensable pour mettre en œuvre son plan aussi risqué que farfelu, mais la panoplie l'aidait un peu à surmonter ses appréhensions. Ainsi, il pouvait se prendre pour Tom Cruise dans *Mission impossible*.

Il fit grimper Beasley dans le pick-up, roula jusqu'au boulevard quasi désert afin de vérifier que tout était toujours calme dans le magasin, puis il alla se garer devant la porte de l'arrière-boutique, comme quelqu'un qui a parfaitement le droit de se trouver là.

Faisant signe au chien de le suivre à pas de loup, Jamie s'engagea dans l'espace entre le container et le mur jusqu'à la lucarne des toilettes ; il n'eut qu'à pousser pour soulever le panneau vitré.

— Vicki me tuerait si elle savait que j'ai ouvert et débranché l'alarme de cette fenêtre ! Tu ne bouges pas, je reviens tout de suite.

Il se hissa sur le rebord et atterrit sans bruit sur le carrelage de l'autre côté. Puis il alluma sa torche, halo dirigé vers le sol, et alla prendre la petite vitrine murale qu'il avait décidé d'emporter afin de la désosser tranquillement chez lui. Il la passa précautionneusement par la fenêtre et la déposa dans sa camionnette.

Le calme régnait dans la ruelle et Jamie n'était pas certain de retrouver des conditions aussi favorables lorsqu'il viendrait rapporter la vitrine plus tard. Comme il voulait aussi examiner un ou deux meubles sur place et que c'était la partie la plus périlleuse de son entreprise, il décida de s'en acquitter tout de suite.

— Maintenant, ça devient sérieux, Beas. C'est là que tu fais le guet.

220

Il souleva le chien et le déposa sur le rebord de la fenêtre avant d'y grimper à son tour.

— Tu te souviens de ce que je t'ai dit, chuchota-t-il. Tu restes là ! Si quelqu'un arrive, tu viens dans la boutique me prévenir, mais tu n'aboies pas. Tu n'aboies pas, Beas ! O.K. ? Je n'en ai pas pour longtemps, juste quelques minutes.

Vicki s'étira dans le rocking-chair, les pieds sur le pouf. Elle venait de passer la journée la plus stressante de sa vie. L'une des plus mémorables, aussi, se dit-elle en contemplant la sculpture de Beasley qui trônait sur sa table basse.

La vente de la coiffeuse aurait dû la transporter de joie, alors pourquoi se sentait-elle si lasse et découragée ?

Elle savait pourquoi. A cause de Jamie, qui n'avait pas été capable de se réjouir avec elle ! Jamie, qui lui avait fait le plus beau des cadeaux et qu'elle avait grossièrement rabroué. Vicki ne supportait pas de l'avoir blessé, mais comment pourrait-elle se rattraper sans lui donner de faux espoirs ? Il la mettait dans une telle situation…

Un grattement familier à sa fenêtre la fit sursauter. Elle jeta un coup d'œil à la pendule posée sur le manteau de la cheminée. Il était presque 22 heures, une heure tardive pour Graham. Il aurait pu penser qu'elle serait fatiguée ! Pourquoi n'avait-il pas téléphoné avant de passer ?

Avec un soupir, elle alla lui ouvrir. Il lui déposa un baiser sur la joue et entra s'installer sur le canapé.

— Alors, ta fin de journée s'est bien déroulée ?

Soudain, Vicki se souvint qu'elle ne l'avait toujours pas appelé pour lui annoncer cette vente mirobolante. En reprenant place dans son rocking-chair, elle regarda Graham et s'aperçut qu'il paraissait attendre sa réponse.

— Oui. Avec un imprévu stupéfiant, en fait.

— Ah ? Raconte.

— J'ai vendu la petite coiffeuse à quatre mille deux cents dollars.

— En voilà, une bonne nouvelle ! Je suis heureux pour toi. Tu vois que mon estimation n'était pas exagérée. Je t'avais dit que ma cargaison d'Amsterdam te rapporterait gros.

Vicki fut un peu sidérée qu'il ne semblât pas surpris outre mesure. Cela dit, Graham dirigeait une grosse société d'import-export. La vente d'un article qu'elle jugeait hors de prix selon ses propres critères ne devait représenter pour lui qu'une opération ordinaire dans le brassage de ses affaires.

Retrouvant un peu de son enthousiasme, elle lui relata l'événement par le menu et, à la réflexion, dut admettre que les doutes de Jamie se comprenaient. L'histoire semblait cousue de fil blanc.

— Tu te rends compte ? termina-t-elle. Quel hasard incroyable qui amène un touriste de passage à dégoter exactement ce qu'il cherche dans *mon* magasin avant l'ouverture !

— L'ouverture n'est qu'une date arbitraire, Victoria. A partir du moment où je t'ai livré la marchandise, je tiens à ce que tu laisses l'entrée libre. Et, si des clients se présentent avant samedi, je t'interdis de les refuser.

— Tu n'as pas besoin de me l'interdire, répondit-elle en riant. Je ne suis pas folle !

C'était lui tout craché, cette incommensurable confiance en soi ! Il s'imaginait que le miracle pouvait se reproduire tous les jours. C'était le trait de caractère de Graham que Vicki admirait le plus.

Hélas ! l'instant suivant, il montra son trait de caractère qu'elle supportait le moins.

— Qu'est-ce que c'est que cette horreur ?

222

Ses yeux venaient de tomber sur la sculpture au milieu de la table. Sa bouche s'incurva de son rictus condescendant.

— Laisse-moi deviner, n'est-ce pas l'abominable corniaud de ton cousin ?

Il tendait le bras pour prendre l'effigie de Beasley. Vicki s'en empara avant qu'il ne la touche et la tint délicatement contre elle.

— Oui, c'est Jamie qui l'a sculpté. Il a beaucoup de talent.

— Je vois ça. Et il sait choisir ses modèles.

— Tu es méchant, Graham. C'est un cadeau, et je l'aime.

— Ah ! les cadeaux de famille... A propos, il repart quand, ce cousin ?

Vicki craignait que Jamie n'ait déjà fait ses bagages.

— Ce soir, je crois, répondit-elle en reposant la sculpture sur la table.

Graham se pencha dessus en plissant le nez.

— Désolé, chérie, railla-t-il, mais tu ne vas pas laisser ce bibelot grand-guignolesque trôner au milieu de ton salon comme une œuvre d'art ?

— *C'est* une œuvre d'art. Non seulement elle trônera au milieu de mon salon, mais dans la journée elle trônera sur mon bureau à la boutique. Et, si elle ne te plaît pas, tu n'es pas obligé de la regarder. En fait, si mon goût te révulse à ce point, tu n'es même pas obligé de venir ici.

Le rictus sarcastique de Graham s'estompa et, en y mettant un peu d'imagination, Vicki put même lui trouver une expression contrite. Il retroussa sa manche de chemise pour consulter sa montre.

— Il se fait tard et je crois que tu es fatiguée, Victoria. Je devrais peut-être te laisser.

Vicki se leva aussitôt.

— Oui, peut-être que tu devrais, confirma-t-elle.

Elle se déroba à son baiser et ne le raccompagna pas à la porte ; elle fulminait. Pour la deuxième fois de la soirée, et après le deuxième homme !

Seulement, quand elle ferma les yeux pour chasser de son esprit le rictus suffisant de Graham, il fut remplacé par le sourire décontracté de Jamie et son regard ardent. Vicki chercha en vain à se rappeler pour quelle raison elle s'était fâchée contre lui.

— Ne me fais pas ça, Jamie ! supplia-t-elle dans le vide. Ne me fais pas tomber amoureuse de toi. Je ne veux pas t'aimer. Je veux que ma vie se poursuive comme je l'ai programmée depuis si longtemps. Je suis enfin arrivée là où je voulais ; je suis devenue celle que j'ai toujours rêvé d'être, avec le genre d'homme dont j'ai toujours rêvé. D'accord, je m'aperçois maintenant qu'il n'est pas parfait, mais qui est parfait ? Certainement pas toi, Jamie Malone !

Elle ramassa la sculpture de Beasley. Le bois était lisse et chaud ; elle le tint contre sa joue.

— Tu ne me feras jamais admettre que je suis en train de tomber amoureuse de toi, Jamie Malone. Je ne l'avouerai jamais. Ni à toi, ni à moi-même, se promit-elle en écrasant une larme qui perlait à ses cils.

Opiniâtre, Vicki reposa la statuette d'un geste ferme et essaya d'imaginer comme elle l'avait souvent fait son brillant avenir au bras aristocratique de Graham. Malheureusement, le conte de fées ne lui apparut que dans un brouillard d'images floues.

Agitée et certaine de ne pas trouver le sommeil, elle enfila ses vieux mocassins et prit ses clés de voiture. Le seul remède qu'elle connût au vague à l'âme étant le travail, elle allait s'atteler à son inventaire.

Le boulevard était désert. Comme elle n'aimait pas trop errer dans l'arrière-cour à la nuit tombée, Vicki se gara sur un emplacement libre à une vingtaine de mètres du magasin et entra par la porte du salon de thé… Un bruit provenant du fond de la salle d'exposition la figea soudain sur place, le cœur battant.

Un choc sourd, comme un outil que l'on pose, doublé d'un juron murmuré, lui parvint à travers le bourdonnement de ses oreilles. Un cambrioleur ! Vicki voulut crier, effrayer l'intrus en espérant le faire fuir, mais sa gorge sèche ne produisit qu'un « couac » imperceptible. Un chuintement de pas feutrés s'approchait inexorablement.

— Qui est là ? parvint-elle à articuler d'une voix rauque.

Une haute silhouette vêtue de noir se profila parmi les ombres informes des meubles à peine éclairés par la lueur des réverbères du boulevard. Les traits du visage étaient indiscernables dans les ténèbres.

— N'approchez pas ! couina-t-elle en reculant sur le seuil.

L'homme leva les mains en signe d'apaisement, mais, avant qu'il ait pu prononcer un mot, quelque chose surgit derrière lui, sous l'aspect d'un monstre bondissant vers elle. Tandis que Vicki, terrifiée, voyait comme au ralenti la créature pataude traverser le salon de thé, son cri de soulagement se mêla à celui de l'intrus :

— Beasley ! crièrent-ils à l'unisson.

Le chien stoppa sa course sur le tapis de l'entrée qui se plissa en accordéon pour l'amener en glissade aux pieds de Vicki. Jamie se précipita pour l'attraper par le collier et l'empêcher de sauter, alors que l'affectueux animal avait déjà les pattes sur sa poitrine et lui léchait le menton.

Jamie tira Beasley en arrière avec un sourire penaud.

— Désolé.

Vicki relâcha son souffle en un énorme soupir mêlant incrédulité et soulagement.

— Que faites-vous ici ?

Il appuya sur la croupe du chien, le forçant à s'asseoir. Deux paires d'yeux – vert et ambre – la dévisagèrent pendant un temps interminable.

— Auquel de nous deux parlez-vous ? demanda enfin Jamie.

La question absurde attisa la fureur de Vicki aussi sûrement que l'invasion de sa propriété. Elle enroula la lanière de son sac autour de son poignet, prête à abattre sa besace sur la tête de Jamie s'il tentait une galéjade de plus. Personne ne la blâmerait, pas même le procureur.

— Encore un mot spirituel, Malone, et vous regretterez d'avoir mis les pieds en Floride.

Jamie recula, entraînant Beasley.

— D'accord, d'accord. Ne vous fâchez pas…

— Que je ne me fâche pas !

Elle brandit son sac et répéta d'une voix menaçante :

— Que faites-vous ici ? Comment êtes-vous entré ?

— Par la fenêtre des toilettes. Quelqu'un avait dû la laisser ouverte.

— Quel… quelqu'un ? bégaya-t-elle.

— Peut-être moi. Je l'avais soulevée tout à l'heure parce que j'avais besoin d'air.

Vicki bouillonnait.

— Vous êtes entré par effraction dans mon magasin ?

— Non ! Bien sûr que non. Je n'ai pas commis d'effraction. J'ai simplement soulevé la lucarne et je suis entré ; je n'ai rien cassé.

Elle traversa le salon de thé d'un pas furibond, alluma au passage une rampe de spots dans le magasin et inspecta les lieux. L'une des précieuses antiquités de Graham, la petite armoire arts-déco, gisait sur le sol à demi démontée, les portes appuyées contre un coffre, les étagères empilées d'un côté, les tiroirs de l'autre, et les pièces d'encadrement éparpillées autour du châssis vide.

— Comment appelez-vous ça, si ce n'est pas casser ?

Jamie ramassa l'un des tasseaux.

— Je peux le remonter facilement.

— Eh bien, vous avez intérêt…

— Attendez, Vicki. Ecoutez ça.

Il retourna l'armoire et tapa sur le panneau du fond.

— Vous entendez comme ça sonne creux ?

Vicki n'entendait rien d'autre que le bourdonnement enragé dans sa tête.

— Bien sûr que ça sonne creux ! C'est un fond d'armoire !

— Il y a un écho anormal. Tout ce que j'ai à faire, c'est dévisser ce…

— Non !

Il la regarda d'un air éberlué, comme si c'était *elle* qui divaguait.

— Vous ne démonterez rien de plus. Je ne sais pas ce que vous croyez trouver dans ce meuble, mais…

— Moi non plus, Vicki, je ne le sais pas ; il n'empêche que j'ai le pressentiment que…

— Ça suffit, Jamie !

Elle contempla les éléments de l'armoire démantibulée disséminés à leurs pieds, puis releva les yeux sur lui.

— Vous avez fait assez de dégâts comme ça. Pour être franche, j'en ai par-dessus la tête de vos suspicions et de vos frasques. Non seulement vous dépréciez la vente inespérée que j'ai conclue ce soir, mais vous franchissez un pas en plus en insinuant que Graham serait une sorte d'escroc, et maintenant vous pénétrez dans mon magasin comme une espèce de…

Elle désigna d'un geste son T-shirt et son jean noirs.

— … d'agent secret, pour jouer à démonter des meubles qui valent des milliers de dollars.

— Enfin, Vicki, ils ne les valent pas…

— Ce n'est que votre opinion. J'ai une liasse de billets qui me prouve le contraire.

Vicki se détourna car, en regardant Jamie, elle n'aurait jamais trouvé la force de dire ce que la raison lui dictait.

— Je veux que vous partiez, Jamie. Rentrez chez vous et laissez-moi seule.

Elle sentit qu'il scrutait son profil et resta impassible. Puis, lentement, il se baissa pour ramasser sa lampe et quelques outils sur le sol. Il venait de les enfouir dans la poche arrière de son jean quand, dans un crissement de freins, la boutique fut illuminée des lueurs bleu et rouge d'un gyrophare.

Vicki virevolta.

— Oh non ! J'ai oublié d'arrêter l'alarme en entrant.

L'alarme reliée au commissariat…

Un policier fit irruption dans le salon de thé, arme au poing.

— Personne ne bouge ! ordonna-t-il.

Vicki avança prudemment, les mains en l'air.

— Excusez-moi, c'est ma faute. Je suis Victoria Sorenson, la patronne du magasin.

— Que se passe-t-il ici ? demanda d'un ton sévère son coéquipier qui le rejoignait.

— Je venais finir un travail et j'ai oublié de débrancher…

— Montrez-moi vos papiers, madame.

Pendant que Vicki s'exécutait, son collègue désigna Jamie d'un mouvement de tête.

— Cet homme est censé se trouver là ?

Vicki regarda par-dessus son épaule. Jamie attendit en se mordant la lèvre, les yeux rivés aux siens, un pli d'inquiétude entre les sourcils.

Elle se retourna vers le policier.

— C'est mon cousin. Il m'a aidée au magasin aujourd'hui, et il avait oublié quelque chose qu'il est revenu chercher...

Se sachant mauvaise menteuse, elle se crut obligée de valider son histoire en s'adressant à Jamie :

— As-tu trouvé ?

Il eut le culot de sourire, un peu.

— Pas encore. Mais je vais trouver ; il me faut juste un peu de temps.

S'il croyait que son petit sous-entendu l'amusait, il se trompait.

— Abandonne, grinça-t-elle les dents serrées. Je crois que nous avons causé assez de dérangement à la police de Fort Lauderdale pour ce soir...

Pressée d'en finir, elle enchaîna avec amabilité à l'adresse des policiers :

— Je suis vraiment désolée, messieurs. Je n'ai pas encore l'habitude de cette alarme. Je vous promets d'être plus vigilante à l'avenir.

— Bien, madame. Bonne soirée.

Le silence régna jusqu'à ce qu'ils aient redémarré dans leur voiture de patrouille. Puis Jamie reprit la parole.

— Merci, Vicki. Pendant un instant, j'ai cru que vous alliez leur dire que j'étais un cambrioleur.

Il eut un petit rire nerveux.

— Tout vous y autorisait, je suppose. Mais, même dans une colère noire, nous ne pouviez pas laisser un pauvre Beasley orphelin partir en fourrière pendant qu'on me mettait en prison.

Comme elle lui tournait le dos et ne bougeait pas, Jamie vint se placer devant elle pour voir son visage.

— Je suis navré, Vicki. J'ai abordé les choses d'une façon stupide. Mais je vous supplie de me croire ! Je soupçonne vraiment Graham de...

— Ah non ! explosa-t-elle. Je ne veux plus entendre un mot de vos divagations ! Il y a dix jours, je suis allée en Caroline du Nord pour obtenir divorce on ne peut plus simple d'un inconnu qui, s'il avait été normal, aurait eu l'obligeance d'y consentir. Mais non ! Il a fallu que vous vous montiez la tête, à imaginer soudain que ce faux mariage avait une chance !

Elle serra les bras autour d'elle, se crispant dans une tentative d'endiguer les larmes qu'elle sentait lui monter aux yeux. Pourquoi était-il si difficile d'expliquer ses sentiments à cet homme ?

— Il n'a *aucune* chance, Jamie. J'avais une vie avant d'aller à Pintail Point, et dans cette vie un homme avec lequel j'entretiens une relation depuis huit mois. Vous et moi, nous ne nous connaissons pas ; vous débarquez et vous essayez de me forcer à partager vos doutes sur l'homme que je fréquente, vous m'obligez à remettre en question mes sentiments, mes décisions, mes projets d'avenir...

Elle ravala la boule qui s'était formée dans sa gorge.

— Vous m'étouffez, Jamie, je ne peux plus le supporter ! Ma vie est ici, avec Graham, avec mon magasin. Ce n'est pas que je n'aie pas de tendresse pour vous...

Vicki chassa une larme brûlante qui roulait sur sa joue.

— Je ne peux pas nier ce qui s'est passé entre nous ce midi. Je ne peux pas nier que j'éprouve une attirance pour vous, et plus vous resterez, plus ce sera difficile...

Epouvantée par le contenu de sa déclaration, elle s'interrompit net. Laissant errer ses yeux dans la salle, elle arrêta son regard sur les éléments épars de l'armoire valant six mille dollars. Vicki se sentait comme ce meuble : une richesse potentielle en pièces détachées qui ne pourraient se rassembler que si elle rattrapait sa vie telle qu'elle l'avait programmée avant que Jamie Malone ne l'emporte dans un tourbillon, éparpillant les morceaux de son être si bien structuré.

Vicki s'était construite ; elle avait besoin de se sentir entière. Elle ne pouvait remettre en cause tout son travail, tout ce qu'elle était devenue, pour un humble artisan, sûrement plein de talent mais sans ambition, qui se contentait de sculpter des jeux en bois, d'habiter dans une péniche et de ramasser les chiens perdus. Victoria Sorenson n'était pas un chien perdu ! Elle avait mis des années à s'en convaincre et à se le prouver.

— Vous me rendez folle, Jamie, murmura-t-elle. Je ne veux plus vous voir. Partez. Retournez à Pintail Point. Et s'il vous plaît… je vous en supplie…

Sa voix se brisa sur un sanglot.

— … envoyez-moi les papiers de divorce.

La souffrance de Vicki dérouta Jamie aussi profondément qu'elle le bouleversa. Il était paralysé ; il voulait parler, mais les mots ne venaient pas. Il voulait la prendre dans ses bras, mais ses bras semblaient en plomb. Finalement, il sortit les outils de sa poche et, d'un geste, lui demanda la permission de remonter l'armoire. Pour toute réponse, elle secoua la tête. Elle ne voulait même pas qu'il répare ce qu'il avait défait ; elle ne voulait pas de son aide. Elle ne voulait plus de lui.

Alors il claqua des doigts, réveillant Beasley.

— Ça ira, Vicki, promit-il. Tout ira bien. Je ferai ce que vous voulez. Je vous enverrai les papiers en exprès. Vous les recevrez samedi matin.

Elle ferma les yeux ; des larmes miroitaient sur ses cils. Il résista à l'impulsion de les essuyer avec son pouce.

— Allons, Beas, dit-il. Nous avons une longue route devant nous, demain.

— Jamie…

Jamie se retourna.

— Qu'y a-t-il, chérie ?

Il vit sa lèvre inférieure trembler.

— Je… je veux que vous sachiez que c'est dur pour moi… Je souhaiterais n'être jamais allée là-bas, ne jamais vous avoir revu.

Par une étrange ironie, son aveu lui remit du baume au cœur.

— Vous savez où me trouver. Du moins ce soir, dit-il en sortant.

Ce fut en remontant dans sa camionnette que Jamie se souvint de la vitrine qu'il avait glissée derrière le siège passager. Il hésita un instant puis démarra.

— Je sais ce que tu penses, Beas. Là, je me conduis vraiment comme un butor. Mais quelle différence cela fait-il si j'emprunte cette superbe pièce de musée au sieur Graham pour la nuit ? Ma chère épouse ne m'évincera pas deux fois plus parce que je lui rapporterai son meuble demain matin. Avec un peu de chance, au contraire, elle pourrait même se montrer un peu plus clémente…

Dix minutes plus tard, Jamie entreprenait son minutieux démontage en toute tranquillité. Tout comme l'armoire, l'arrière de la vitrine sonnait creux, avec un léger effet d'écho. Il ne fut pas étonné de trouver un double-fond, mais, lorsqu'il y arriva, son pouls s'accéléra. Qu'allait-il découvrir là-dedans ? Amsterdam évoquait des diamants ou de la drogue. Quoi d'autre ?

Jamie n'en crut pas ses yeux. Une toile, méticuleusement étalée entre les deux feuillures de bois, protégée par plusieurs épaisseurs de papier de soie. Les bords étaient effilochés comme si la toile avait été ôtée d'un cadre au rasoir, mais la peinture était intacte.

C'était un paysage pastoral de quarante centimètres sur cinquante-cinq. Un chemin pierreux ombragé d'arbres dans leur parure d'été, un ruisseau courant le long, des collines verdoyantes émaillées de moutons et un berger solitaire devant une chaumière.

Jamie prit son stylo et nota le nom de l'artiste dont la signature était lisible en bas à droite. Henrik Petrovich.

— Je crois que nous savons pourquoi cette babiole à étagères est une aubaine à deux mille cinq cents dollars, dit-il à Beasley qui s'était lové sur son oreiller.

Le prix de vente légal de Vicki ne représentait qu'une goutte d'eau dans le trafic infiniment plus lucratif de M. Townsend.

— Je suis curieux de savoir à combien ce tableau est estimé. Tu me diras que, si j'avais amené mon ordinateur, ça m'aurait rendu la recherche plus facile, mais je te garantis que je serai le premier client à la bibliothèque de Fort Lauderdale demain matin.

14.

Vicki émergea d'un sommeil lourd avec la pénible impression que sa migraine ne l'avait pas quittée. Elle roula sur le côté, entrouvrit un œil juste assez pour lire les chiffres de la pendule et se laissa retomber sur le dos, un bras sur le visage. 8 h 30. Et zut !

C'était sa deuxième panne d'oreiller depuis ses retrouvailles avec Jamie Malone. La première fois dans sa péniche, dans son lit, où elle était restée agitée jusqu'aux aurores tant il l'avait mise en rage. Et cette nuit, dans son propre lit, où elle était restée éplorée jusqu'aux aurores tant il l'avait mise sens dessus dessous.

A cette heure-ci, il devait être parti. Il avait embarqué son bois et son chien dans sa camionnette, et roulait vers Bayberry Cove.

Vicki rejeta les couvertures avec un râle et s'assit sur le bord du lit en se tenant la tête.

— C'est ce que tu voulais, non ? marmonna-t-elle. Qu'il sorte de ta vie pour que tu puisses te ressaisir, reprendre ton existence où elle en était et réaliser l'avenir de tes rêves : toi, Graham Townsend et une élégante boutique où les coiffeuses se vendent quatre mille dollars.

Alors pourquoi toutes ces ambitions qui lui promettaient une vie pleine et gratifiante ne lui évoquaient-elles plus tout à coup que le vide d'années de solitude qui s'étiraient devant elle ?

Se pilotant au radar jusqu'à la salle de bains, Vicki évita de croiser son reflet dans le miroir. Inutile de constater les dégâts *de visu* : elle ne devait pas être belle à voir avec des paupières bouffies comme des éponges gorgées d'eau. Après avoir enfilé les vêtements qui lui tombaient sous la main, elle alla à la cuisine et mit en route la cafetière. Elle se servit une grande tasse avant même que la totalité du réservoir soit passée et reposa le récipient sur la plaque chauffante éclaboussée de café.

Vicki craignait malheureusement qu'aucune dose de caféine ne suffise à lui procurer le coup de fouet dont elle avait besoin pour affronter sa journée. Les premières gorgées stimulant les neurones la ramenèrent tout droit aux interrogations qu'elle avait ressassées pendant une bonne partie de la nuit.

Que disait sa mère ? « Si quelque chose semble trop beau pour être vrai, Victoria, c'est que ça l'est. Surtout chez les gens qui ont la poisse comme les Sorenson. »

Cette vente paraissait en effet trop belle pour être vraie. Vicki s'était-elle laissé aveugler par la joie de renflouer son compte ? Pourtant, elle avait vérifié les billets ; ils n'étaient pas faux et ce matin Hazel irait les déposer à la banque. Où était le problème ? Serait-il possible que les doutes de Jamie soient fondés ? Si seulement elle l'avait écouté !

Oh ! Jamie… Ses sentiments pour cet homme la sidéraient. Il était tout le contraire du prince charmant selon ses critères. Un homme simple, sans affectation, sans prétention, ni dans son caractère ni dans son mode de vie, un artiste qui fabriquait des jeux et sculptait de magnifiques statuettes d'animaux dans du bois qu'il choisissait et chérissait. Jamie était l'opposé de Graham, et maintenant

235

qu'elle l'avait envoyé promener, elle craignait qu'il ne soit infiniment plus noble.

Elle retourna à la salle de bains et s'employa cette fois à réparer les ravages causés par sa nuit agitée. Après une douche salutaire et un savant maquillage, élégamment vêtue, Vicki Sorenson avait à nouveau l'apparence d'une jeune femme d'affaires efficace et équilibrée.

Toutefois, derrière la façade, le fragile édifice menaçait de s'écrouler, miné par une question lancinante : « Que ferait-elle, dans deux jours, lorsqu'elle recevrait ses papiers de divorce signés ? »

Contemplant ses mains sur le volant, Vicki imagina le diamant de Graham scintillant à son annulaire. Sa raison y voyait toujours l'image de la réussite, mais son cœur n'y voyait plus celle du bonheur.

Un peu avant 10 heures, Jamie gara son pick-up à la place du container qui avait déjà été enlevé.

— Tu restes là, Beasley. Si elle pique une crise d'hystérie et m'arrache la tête, j'aime autant que tu n'assistes pas à la scène.

Il prit la vitrine et se dirigea vers l'entrée de l'arrière-boutique. Il avait examiné la question sous tous les angles pour en arriver à la seule conclusion possible : il ne pouvait laisser Vicki dans l'ignorance de sa découverte.

Jamie n'espérait plus la faire changer d'avis à propos de leur divorce car Vicki était ambitieuse. Si elle devait rompre avec Townsend, elle ne tarderait pas à jeter son dévolu sur un autre richard du même calibre. Quel que soit le penchant de son cœur, le pauvre immigrant va-nu-pieds n'avait aucune place dans son programme.

Sachant toutefois combien elle tenait à sa dignité et à son magasin, Jamie voulait terminer en beauté son rôle de faux mari. Quelle plus belle preuve d'amour pouvait-il lui apporter que de sauver sa réputation ? Lorsque ce serait fait, il lui dirait adieu, un adieu définitif, et ils reprendraient chacun leur route. Ces treize ans de mariage redeviendraient ce qu'ils étaient, à savoir un simple incident de parcours.

Un éclat de voix incrédule l'arrêta dans le couloir.

— Vous voulez acheter *ça* ?

— Je viens de vous le dire, non ? répondit un homme.

Jamie crut deviner de quoi il retournait. Les mots de Vicki confirmèrent sa supposition :

— Mais cette armoire est en pièces ! Je dois la faire remonter…

— Inutile, insista le client d'un ton catégorique. J'ai mon propre ébéniste qui s'en acquittera parfaitement.

Un blanc. Vicki hésitait.

— Je suis désolée, reprit-elle. Je ne me sens pas le droit de vous vendre ce meuble dans cet état…

Tiens, tiens, elle n'empochait pas l'argent aussi facilement qu'hier soir, constata Jamie avec satisfaction. Commençait-elle à sentir que quelque chose clochait ?

Le client sembla perdre patience.

— Que vous arrive-t-il, madame ? Je règle le prix indiqué, je vous agite une liasse de billets sous le nez et vous refusez de conclure l'affaire ? Auriez-vous un problème ?

Les instincts de Jamie passèrent en alerte rouge. Posant la vitrine, il se plaqua un grand sourire sur le visage et fit son entrée.

— Salut, cousine ! lança-t-il. Tu as un problème, à ce que j'entends ? De quoi s'agit-il ?

Il lui planta un baiser sur la joue avant qu'elle ait le temps de dire quoi que ce soit et enchaîna sans lui laisser la possibilité de rassembler ses idées :

— Excuse-moi, je t'ai laissé de la pagaille, hier soir, mais j'aurai tout fini dans la journée, promis.

Le client, un homme très distingué d'une cinquantaine d'années, lui décocha un regard incendiaire.

— C'est vous qui avez démonté ce meuble ?

— Oui, les portes fermaient mal. Je dois les raboter…

— Ne vous inquiétez pas de ça, coupa l'acheteur de toute sa hauteur. Comme je le disais à madame, je préfère que le travail soit exécuté par mon propre ébéniste.

Jamie feignit d'en rire.

— Vous n'y pensez pas, mon ami ! Ma cousine a la réputation du magasin à défendre. Repassez dans l'après-midi, ce vieux placard sera impeccable, et vous emporterez un article qui vaut chaque centime de ses…

Il fit semblant de lire l'étiquette pour la première fois et arrondit les yeux de stupéfaction.

— … six mille dollars ! Eh bien, cousine…

Il asséna un coup de coude dans les côtes de Vicki en faisant mine de chuchoter :

— Tu te sucres, on dirait.

Puis il passa un bras autour des épaules de l'homme et le pilota vers la sortie.

— Je plaisante, bien sûr ! C'est une très belle pièce que vous avez choisie là. Je rabote les portes, je ponce la rouille des vieux gonds qui grincent, et vous l'aurez comme neuve – ou vieille, en l'occurrence. Quand j'en aurai fini avec elle, cette armoire sera un bijou à exposer dans votre salon, digne du prestige de cet honorable établissement…

Jamie ouvrit la porte et le poussa dehors en interpellant Vicki :

238

— Dans combien, cousine ? Disons 16 heures ?

— Euh… oui, c'est cela, bredouilla-t-elle. Revenez dans l'après-midi…

La figure du monsieur distingué avait pris une alarmante teinte écrevisse. N'ayant pas trouvé de parade aux tactiques dictatoriales du cousin irlandais, il brandit ses billets dans un poing menaçant en direction de Vicki.

— Je repasserai à 14 heures et j'exige que ma commande soit prête ! Veillez à ce qu'il ne la démonte pas davantage et ne l'abîme en la remontant !

Vicki hocha la tête en s'affublant d'un sourire amical, comme si tout était arrangé. Le sourire resta figé sur ses traits pendant que Jamie fermait la porte et se retournait vers elle.

— Alors, vous n'êtes pas parti, dit-elle d'une voix inexpressive.

Le cœur de Jamie se serra.

— Vous n'avez pas besoin de me rappeler ma promesse, Vicki. J'ai parfaitement saisi le message, hier soir. Je prendrai la route après avoir réparé ce meuble, si vous le voulez bien.

Il vit ses lèvres trembler, semblant osciller entre rire et larmes.

— C'est pour réparer vos dégâts que vous êtes resté ?

— Non. C'est parce que j'ai quelque chose à vous montrer.

Lorsqu'il revint du couloir avec la vitrine, Vicki écarquilla des yeux comme des soucoupes mais, contrairement à ce à quoi Jamie s'attendait, elle réprima des gloussements.

— Bonté divine ! Une antiquité inestimable de Graham ! Je n'avais même pas remarqué sa disparition. Quand l'avez-vous emportée ?

— Je l'avais chargée dans ma voiture avant votre arrivée. Je ne vous l'ai pas rendue immédiatement parce que mes soupçons me tenaillaient. Il fallait que je vérifie ; je ne supportais pas l'idée que Graham puisse vous mettre en position de receleuse à votre insu.

Elle hocha la tête.

— Le client qui sort d'ici m'oblige à vous donner raison, admit-elle. Avez-vous découvert quelque chose ?

— Oui…

La sonnerie du téléphone sur le bureau interrompit la conversation.

Vicki ne bougea pas et regarda Jamie, comme si elle attendait qu'il lui dicte la conduite à suivre.

— Répondez, conseilla-t-il. Je ne serais pas étonné que ce soit Graham, déjà au courant de ce qui vient de se passer.

Après avoir pris une profonde inspiration, Vicki alla décrocher. La précipitation des événements ne lui donnant pas le temps de réfléchir, elle ne pouvait que s'en remettre à Jamie.

— Thé et Antiquités, annonça-t-elle.

Elle fit un signe de tête affirmatif en s'exclamant aussi gaiement que possible :

— Oh ! Graham ! Je te croyais en réunion…

— Elle commence dans un quart d'heure, dit-il d'un ton anodin. Mais j'avais envie de savoir si la chance te poursuit, sait-on jamais ? Pas de grosse vente, ce matin ?

Ne sachant que répondre, elle tordit le fil du combiné.

— Non… je n'ai rien vendu…

— Tu n'as vu personne ?

240

Devait-elle l'amener à se dévoiler, ou devait-elle prendre les devants ? Dans le doute, elle eut soudain l'idée de monter l'amplificateur afin que Jamie vienne à la rescousse.

— Excuse-moi, Graham, je ramassais mon stylo, je ne t'ai pas entendu. Tu disais ?

— Je te demandais si tu n'avais vu personne.

— Racontez-lui, mettez-le en confiance, chuchota Jamie.

— Ah si ! Quelqu'un est passé, mais tu ne devineras jamais. La personne est tombée en extase devant la petite armoire que Jamie avait démontée...

— Tiens ? Ton cousin a démonté une armoire ?

Graham aurait dû sauter au plafond. Son ton beaucoup trop paisible montrait bien qu'il était déjà au courant de l'anecdote, ainsi que Jamie l'avait présumé.

— Oui, je me suis aperçue que les portes fermaient mal... Bref, l'armoire est en pièces détachées et le client était prêt à la prendre telle quelle.

— Et alors ? Tu ne la lui as pas donnée ?

Elle se força à rire.

— Oh non ! bien sûr que non, Graham ! Il s'agit de la petite armoire à six mille dollars... Tu imagines la publicité que je me ferais si je vendais des meubles en kit à ce prix-là !

— Est-ce que le client a discuté le prix ?

— Non, il voulait payer mais...

Le vernis craqua enfin.

— Es-tu folle, Victoria ? Ou bien n'as-tu aucun sens des affaires ? J'ai moi-même investi dans cette marchandise, et quand cet homme repassera... euh, enfin, s'il repasse...

Vicki échangea un regard avec Jamie.

241

— ... j'exige que tu lui vendes en l'état ! Et que ton imbécile de cousin n'y touche plus ! De quoi se mêle-t-il, celui-là ? Je le croyais parti hier soir !

Autre échange de regards avec Jamie. Graham rattrapa à retardement son deuxième lapsus :

— Enfin, je veux dire, je suppose qu'il est toujours là ?

Vicki renonça à jouer plus longtemps la comédie. Graham Townsend commençait à lui courir sur les nerfs.

— Oui, il est toujours là, Dieu merci. Et ce n'est certainement pas toi qui es autorisé à le traiter d'imbécile, Graham. Parce qu'en quelques jours, Jamie m'a été d'une plus grande aide que toi en plusieurs mois. De surcroît, je n'apprécie pas du tout que tu dénigres mon sens des affaires. Je ne t'ai pas attendu pour réussir. Je gérais ma propre brocante avant de te connaître, et ma boutique sur le boulevard, ce n'est pas à toi que je la dois. Pour ta gouverne, les importateurs d'antiquités ne manquent pas, et je pourrais très bien en changer.

Là-dessus, elle lui raccrocha au nez. Jamie la considéra avec un sourire admiratif et la félicita d'un pouce en l'air.

Le téléphone sonna à nouveau. Un Graham à peine radouci lui ordonna de ne prendre aucune décision personnelle concernant ses meubles d'Amsterdam et l'informa qu'il passerait vers 13 heures, après sa réunion, afin de l'emmener déjeuner et « reparler de tout ça ».

Cette fois, en raccrochant, Vicki épingla Jamie d'un regard sans aucune aménité.

— Je suis impatiente de voir ce que vous avez découvert dans cette vitrine. Etant donné que je viens de bousiller royalement ma relation avec mon fiancé, vous avez intérêt à ce que ce soit spectaculaire.

242

— Vous ne pouviez trouver de mot plus juste, dit-il en posant la vitrine à l'envers sur le bureau.

Mise devant l'évidence d'un double-fond, Vicki fut prise de sueurs froides pendant que Jamie enlevait le panneau qu'il avait provisoirement maintenu avec quatre punaises.

— Mon Dieu ! Ce n'est pas...

— Non, sûrement pas ce que vous croyez.

Il retira précautionneusement une couche de papier de soie et Vicki fut plongée dans un univers enchanteur. Elle contempla le tableau pendant plusieurs secondes, la paume pressée sur sa poitrine.

— C'est splendide ! Si vivant... On a l'impression d'y être, de marcher le long de ce sentier. Les couleurs sont si réelles...

Elle leva les yeux sur Jamie.

— Est-ce que quelqu'un n'aurait pas pu la cacher là depuis des années, et qu'elle ait été oubliée...

La grimace sceptique de Jamie soulignant la naïveté de sa question, Vicki secoua la tête en lâchant un petit rire.

— Pendant une fraction de seconde, j'ai espéré pouvoir la garder.

Hélas ! la réalité eut vite fait d'éclipser l'émerveillement. Sa fragile estime d'elle-même volant en éclats comme du cristal, Vicki s'appuya au bureau, prise de vertige, et porta une main à son front moite.

— Ne me dites pas que je sers d'intermédiaire dans un trafic de tableaux volés ? Vous êtes sûr que ce n'est pas une croûte sans valeur ? espéra-t-elle encore contre tout espoir.

Jamie la conduisit à son fauteuil et la força à s'asseoir.

— Je suis désolé, Vicki.

Il sortit deux feuillets pliés de la poche arrière de son jean.

— J'ai copié ça à la bibliothèque, ce matin. Nous pourrons compléter les recherches sur votre ordinateur, mais les premiers renseignements sont assez concluants.

Le premier papier émanait d'une publication informative d'un catalogue d'art réputé. C'était la biographie résumée d'un artiste polonais dénommé Henrik Petrovich, peintre pastoral du XIXᵉ siècle, célèbre pour ses paysages champêtres de la campagne polonaise.

Suivait une liste du *Registre des Œuvres disparues*, une compilation nationale des trésors artistiques volés ou perdus. La page concernait des toiles disparues depuis l'occupation germanique de la Pologne pendant la Seconde Guerre mondiale.

Là, parmi une série de photos, se trouvait la reproduction miniature de la peinture que Vicki avait sous les yeux, étalée sur le double-fond de la vitrine. *Le Berger au crépuscule*, par Henrik Petrovich. Valeur estimée : deux cent mille dollars.

Tandis qu'elle restait tétanisée, Jamie poursuivit d'une voix douce :

— Elle a été volée au Musée national de Varsovie pendant la guerre. Personne n'en a plus jamais entendu parler depuis. D'après ce que j'ai lu, on suppose qu'elle faisait partie d'un lot réquisitionné par le IIIᵉ Reich, qui confisquait les œuvres d'art dans les pays conquis. Certaines commencent à réapparaître maintenant, exhumées de caves ou de greniers où elles ont dormi pendant un demi-siècle.

Vicki enfouit son visage dans ses mains.

— Oh ! mon Dieu ! La coiffeuse… qu'ai-je fait ?

— Vous ne saviez pas, Vicki. Vous n'êtes pas coupable.

Oh que si ! Parce qu'elle aurait décelé tous les indices si elle n'avait pas été aveuglée par le pseudo-raffinement de Graham Townsend, ses belles manières – son pedigree, pour l'amour du ciel ! Elle aurait vu l'homme qu'il était vraiment, un opportuniste dévoré par la cupidité !

— Comment ai-je pu être aussi stupide ? Pourquoi n'ai-je rien soupçonné, quand il me pressait de rentrer de Pintail Point pour signer ses maudits formulaires ? Quand il paniquait parce que sa cargaison allait être retardée quelques jours à la douane ? Quand il fixait ses prix exorbitants ?

Jamie lui massa doucement l'épaule.

— Vous n'avez rien à vous reprocher, Vicki. Graham se disait votre ami, vous lui faisiez confiance.

Elle blêmit et se mit à trembler.

— Deux cent mille dollars ! Combien de tableaux peut-il y avoir cachés ici ? Et moi qui ai signé tous les papiers ! J'allais ouvrir un magasin de recel...

— Il savait que ses pièces auraient quitté le magasin avant l'ouverture. Il a pensé que vous seriez comblée avec votre infime pourcentage et, samedi soir, il aurait été immensément riche.

— Il m'a vraiment prise pour une imbécile !

— Ce qui prouve que c'est lui qui l'est.

Jamais Vicki ne s'était sentie à ce point trahie.

— Il a utilisé ma boutique comme vitrine légale pour son trafic ! L'accomplissement d'années de travail acharné... J'ai tout investi dans cette affaire, mon argent, mon énergie, mes compétences... et pour quoi ? Pour me faire rouler comme une midinette par une crapule vernissée !

Elle avait besoin de casser quelque chose, mais n'était entourée que d'objets qu'elle aimait. Lorsque ses yeux se posèrent sur la sculpture de Beasley, toute sa rage se catalysa brusquement en désir de vengeance. Elle bondit sur ses pieds.

— Comment allons-nous le coincer, Jamie ?

En guise de réponse, Jamie la prit dans ses bras et la tint tendrement contre lui, le visage niché dans le confort de sa chemise en vieux jean élimé. Là, elle se mit à pleurer.

— Je croyais en lui… en nous.

— Je sais.

— Je croyais qu'il m'aimait.

— Peut-être qu'il t'aimait, à sa façon, murmura Jamie.

Il lui redressa la tête et plongea les yeux dans ses yeux pleins de larmes.

— Tu n'es pas difficile à aimer, tu sais.

— Oui, pour ma crédulité, dit-elle en reniflant. Il a pensé que je ne découvrirais jamais rien, et il avait raison. Si tu n'avais pas été là…

— Tu aurais compris toute seule, chérie. On ne te leurre pas si facilement. Tu as parfaitement compris dès le premier jour que j'aurais apporté les papiers du divorce si je l'avais voulu. A ce propos, ton amie est une avocate de premier ordre ! Il a fallu les roublardises conjuguées d'un vieux procureur rusé et d'une mère irlandaise pour concocter un stratagème qui me permette de rester marié avec toi quelques jours de plus.

Cessant de renifler, Vicki laissa tomber le front sur le torse de Jamie avec un gros soupir.

— Je n'aurai peut-être pas trop d'une avocate et d'un procureur pour m'éviter la prison.

— Cela ne risque pas de t'arriver.

Il lui caressa les cheveux.

— J'ai un plan, si tu es vraiment résolue à envoyer M. l'Aristocrate derrière les barreaux.

— Tu en doutes ? Je te suis les yeux fermés, Jamie.

— Nous allons devoir agir vite. Je m'occupe de démonter un ou deux meubles, et toi, tu appelles la police. J'aimerais convaincre les autorités que nous avons la possibilité de prendre Townsend à son propre piège, à condition que tout soit en place avant qu'il ne débarque à 13 heures. Dans deux heures et demie, précisa-t-il en jetant un coup d'œil à sa montre.

Vicki décrocha sur-le-champ, puis s'arrêta. Elle venait de réaliser qu'elle mettait toute sa confiance en Jamie. Une confiance profonde et lucide, le contraire de celle, aveugle, qu'elle avait accordée à Graham, alors qu'elle était éblouie par son clinquant.

— Jamie... je te demande pardon de...

— Chut ! Tu n'as pas à t'excuser, chérie. Tu as montré ta loyauté envers l'homme que tu avais choisi, c'est une qualité plutôt rassurante pour moi.

Elle lui sourit.

— Il y a autre chose que je veux te dire. Je suis terriblement heureuse que tu ne sois pas parti !

Il esquissa son sourire en biais.

— Ah ! ça, tu peux me le répéter toute la journée ; je ne me lasserai pas de l'entendre !

Alors, avec une détermination qu'elle n'aurait jamais cru pouvoir ressentir pour une telle tâche, Vicki composa le numéro de la police. Sans haine, sans rage, sans désir de vengeance, elle allait faire arrêter un truand.

15.

Les deux heures suivantes furent trépidantes. Jamie avait retiré sa voiture de la cour, Vicki avait renvoyé Hazel dans ses foyers à son retour de la banque et, cinq minutes plus tard, l'inspecteur dépêché par la police arrivait.

Jamie avait extrait quatre portraits format vingt-huit centimètres sur trente-cinq dans le double-fond de l'armoire, des toiles signées d'un autre artiste polonais, Joseph Lonz. Vicki avait trouvé leurs photos sur Internet dans le *Registre des Œuvres disparues*. Il s'agissait des dernières œuvres manquantes d'une série de douze portraits intitulés *Visages de Hollande*.

Après cette découverte, l'inspecteur de police avait alerté le service des douanes et l'agent spécial Mark Ford était arrivé au magasin vingt minutes plus tard.

L'inspecteur Brightman lui avait dressé un topo de la situation puis Jamie, sans cesser de travailler activement aux cadres sommaires qu'il fabriquait avec des lattes de pin, lui avait expliqué la stratégie qu'il avait élaborée pour amener Graham Townsend à dévoiler ses batteries.

Vicki en réécoutait chaque détail, autant pour se calmer les nerfs que pour s'imprégner du scénario.

L'agent Ford se tourna vers elle.

— Etes-vous d'accord avec ce plan, mademoiselle Sorenson ? Vous ne courez pas un grand risque, mais on ne sait jamais...

— Non seulement je suis d'accord, mais je suis prête, assura-t-elle.

Elle n'imaginait pas que Graham pût devenir dangereux, mais elle ne l'avait pas imaginé en truand non plus...

Ford entrouvrit légèrement sa veste, dévoilant son arme.

— Nous ne laisserons rien de mal vous arriver. Nous serons trois, dissimulés à proximité, l'inspecteur Brightman, moi-même et...

Il attendit une précision.

— Jamie est un ami intime, dit-elle.

— Parfait. Donc, vous serez bien gardée.

Vicki se mit à espérer que la scène ne se terminerait pas dans la violence. Elle ne parvenait pas à croire qu'elle était en train de participer à un traquenard contre l'homme avec lequel elle avait envisagé de passer le rester de sa vie.

L'agent Ford détendit l'atmosphère en la félicitant.

— Je tiens à vous dire que le gouvernement apprécie votre collaboration, mademoiselle Sorenson. En matière de trafic international d'œuvres d'art, un bon nombre d'enquêtes n'aboutissent pas, faute de preuves concrètes. Comme on dit dans notre jargon, c'est un gros poisson que vous nous offrez aujourd'hui. Votre importateur va faire tomber tout le réseau.

Il ignorait encore la nature de sa relation avec Graham. Il s'en rendrait sans doute compte par la suite, mais, pour l'instant, seul Jamie savait ce qu'il allait lui en coûter de jouer cette mascarade.

A 12 h 50, Ford lui suggéra d'appeler Graham afin de déterminer le moment de son arrivée. Vicki le joignit sur son portable. Son humeur ne semblait toujours pas radoucie. Il se trouvait sur l'autoroute, serait là dans quelques minutes, et lui répéta de ne prendre aucune initiative personnelle en ce qui concernait ses précieuses antiquités.

L'armoire démontée était reléguée dans les toilettes pour dames et les portraits de Joseph Lonz avaient été accrochés aux murs dans leurs cadres de fortune. L'inspecteur de police et l'agent des douanes se retirèrent dans l'arrière-boutique. Habituellement, Graham se garait sur le boulevard, mais, pour plus de précaution, Vicki devait guetter d'un côté et Jamie de l'autre. Avant de prendre son poste de surveillance, il vint envelopper sa main dans la sienne, le temps de lui insuffler du courage.

— Ça va aller, chérie. Tout sera vite fini.

Les dernières minutes d'attente parurent interminables. Enfin, la voiture de Graham apparut dans la circulation.

— Il arrive par là ! lança-t-elle.

Le cœur battant la chamade, Vicki s'installa à son bureau et feignit de vérifier son registre d'inventaire. Le stylo tremblait dans ses doigts et ses jambes flageolaient. Pourvu que sa voix ne chevrote pas.

Les portes du salon de thé étaient fermées. Vicki leva la tête au tintement des clochettes du magasin et arbora un sourire un peu trop grand mais, après tout, elle était censée être contente de sa matinée.

— Ça va ? Tu n'as pas eu d'encombrements ? Tu n'étais pas obligé de venir à cette heure-ci, tu sais...

Elle parlait trop vite, mais Graham était trop engoncé dans son propre pétrin pour s'en apercevoir.

— Pas obligé de venir, quand tout part à la dérive ici ? aboya-t-il d'entrée.

Vicki affecta la surprise.

— Comment cela ? Tout se passe très bien, ici.

— Es-tu inconsciente ? Tu refuses une vente de six mille dollars et tu es fière de toi !

Il se retourna et ferma le verrou. A cet instant, Vicki se mit à avoir peur. Cet homme qu'elle avait cru aimer était soudain pire qu'un étranger : une présence dangereuse, inquiétante, redoutable. Un individu sans scrupules, qui avait mis en péril tout ce qu'elle possédait et qui pouvait à présent menacer sa vie.

Cependant, loin de l'abattre, la peur la galvanisa. Dans quelques minutes, Graham Townsend saurait à son tour ce que l'on éprouve à n'être qu'un instrument manipulé par une personne en qui l'on a confiance.

Vicki posa son stylo et se leva, les jambes à nouveau fermes. Puis elle lui indiqua l'espace vide où il avait placé son armoire.

— Tu me sous-estimes, Graham, chantonna-t-elle. Je l'ai vendue ! Jamie l'a réparée ; elle était splendide, alors je l'ai exposée en vitrine, et cinq minutes après quelqu'un entrait pour me faire une offre.

— Une offre ? répéta-t-il d'une voix blanche. Tu veux dire que… tu l'as vendue à un autre client ?

— Evidemment, Graham ! Le premier ne m'avait pas laissé d'arrhes, rien ne me garantissait qu'il reviendrait. Je suis commerçante, avant tout. Je l'ai descendue à quatre mille, ce qui représente tout de même une belle somme, et un tiens vaut mieux que deux tu l'auras.

Le beau dandy perdit de sa superbe et changea de couleur.

— Victoria, tu… Tu n'as pas fait ça ?

— Bien sur que si ! Où est le problème, Graham ? Si le premier client revenait, j'ai d'autres armoires en magasin, plus belles que ton hollandaise, et à des prix plus avantageux qui pourront l'intéresser.

— Es-tu godiche à ce point ? Tu n'as vraiment aucune idée de… Qui a acheté ce meuble ? Tu as son nom ? Comment a-t-il payé ?

Un Graham affolé la bouscula et se mit à éparpiller les papiers sur le bureau et à fouiller dans le tiroir-caisse en suffoquant :

— Tu l'as inscrit quelque part ? Tu as gardé une trace ?

— Il a payé en liquide. Je lui ai donné un reçu mais je n'avais aucune raison de lui demander son identité. Je peux te montrer le double de la facture, si tu veux. Hazel a déjà déposé l'argent à la banque…

— Mais bougre de dinde, Victoria ! A quel degré peux-tu être bornée ?

Vicki plaqua ses paumes sur le bureau, frémissant de rancœur et d'un étrange plaisir à asséner le coup final qui écraserait cette vermine.

— Je ne suis pas si bornée que ça, Graham, dit-elle d'un ton doucereux. Parce que figure-toi que Jamie a trouvé quelque chose dans le fond de ton armoire…

Du rouge de la colère, le visage de Graham vira au blanc crayeux. Il déboutonna son col de chemise et se passa les doigts dedans comme s'il manquait d'air.

— Que… qu'est-ce que tu racontes ?

— Il y avait un trésor caché ! Des peintures…

Vicki ne vit pas l'expression de son visage, car elle le précédait, montrant fièrement le mur où les tableaux étaient accrochés.

— Ne sont-elles pas jolies ? Jamie les a encadrées et je les ai étiquetées à cinq cents dollars pièce, ce qui rattrape la perte sur l'armoire. Et voilà, le tour est joué !

Graham s'effondra de soulagement dans un fauteuil, les yeux scotchés sur les toiles, crachotant des syllabes incohérentes, avant d'éclater d'un rire hystérique.

Quand il parvint à surmonter sa crise d'hilarité, il répandit son mépris sans aucune retenue.

— L'intelligence que j'aie eue, de choisir une paysanne ignare ! se félicita-t-il. Ma pauvre Victoria, tu n'apprendras décidément jamais rien sur ce métier.

Vicki joua à merveille son rôle de simplette blessée.

— Pourquoi me rabaisses-tu encore, Graham ? Je croyais que tu serais content...

Le rire fusa à nouveau.

— Oh ! je le suis, Victoria ! En cet instant, je suis l'homme le plus heureux du monde ! Si tu savais combien je suis content ton ignorance ! Tu viens de sauver ma peau, chérie ! Cinq cents dollars pièce..., pouffa-t-il. Ces toiles valent une fortune !

Sur ces mots, montrant la profondeur de son dédain, il alla vers le mur où se trouvaient les portraits de Joseph Lonz comme si Vicki n'existait pas.

— Tu n'y touches pas, ordonna-t-elle lorsqu'il décrocha le premier. C'est la propriété du magasin.

— Il ferait beau voir !

Vicki le laissa en décrocher un deuxième.

— Tu n'as pas le droit, Graham ! L'armoire entrait dans tes investissements, mais les tableaux, c'est moi qui les ai trouvés. Ils m'appartiennent à moi, décréta-t-elle avec son air buté de paysanne.

Il exhala un soupir exaspéré.

— Qu'à cela ne tienne, je te les achète... cinq cents dollars pièce !

Il gloussa et Vicki feignit de s'entêter.

— Ah non, alors ! Tu viens de dire qu'ils valaient une fortune. On fait moitié-moitié, je veux ma part. Tu les laisses ici, je les ferai évaluer...

— Victoria ! Tu es vraiment bouchée ! Tu ne comprends pas que ces toiles sont déjà vendues ? Qu'elles l'étaient avant de quitter Amsterdam !

Elle arrondit des yeux ébahis.

— C... comment ça ?

— Il est temps de te mettre au parfum, Victoria.

Graham balaya d'un geste le mobilier d'époque et tous les beaux objets que Vicki avait amassés petit à petit.

— Crois-tu vraiment que les antiquaires font leur beurre avec toutes ces vieilleries ? Non, chérie. L'argent est là où il ne se voit pas, dans les doubles-fonds et les compartiments secrets. Si tu n'es pas capable d'entrer dans la danse, alors tu ferais mieux de mettre la clé sous la porte et de repartir profil bas planter tes poireaux en Indiana.

— Mlle Sorenson serait toujours mieux à planter des poireaux en plein air que vous ne le serez derrière les barreaux, monsieur Townsend.

Graham se pétrifia sous le choc tandis que les trois hommes entraient dans la salle.

— Que diable...

— Agent spécial Ford, Service des Douanes, Répression des Fraudes, se présenta celui-ci.

Graham bafouilla le temps d'évaluer la situation et, se voyant pris comme un rat, voulut se ruer sur Vicki.

— Sale petite garce !

Les deux policiers le ceinturèrent et Jamie s'interposa.

— Ne tombez pas dans le vulgaire, Townsend.

— Et vous, le tartufe !

Se débattant en vain pendant que l'inspecteur lui passait les menottes, Graham cracha tout son venin.

— Dire que j'ai failli t'épouser, avec ta bouse sur les chaussures et tes mensonges plein la bouche !

— Quels mensonges ? demanda innocemment Vicki, qui pouvait en dénombrer une centaine.

Elle ne s'attendait toutefois pas à la surprise que Graham lui réservait.

— Qui c'est, ce type ? Ce matin, j'ai appelé ta mère. Elle n'a été que trop contente de me raconter qu'elle n'a pas de sœur et qu'il n'y a pas de cousin irlandais dans ta famille.

— Tu as appelé ma mère ?

Seigneur ! Vicki voyait d'ici le grabuge à la ferme...

— Oui, et elle a mis le temps à répondre ; elle devait être en train de plumer un poulet ! En tout cas, Jamie Malone, elle ne connaît pas. Si tu disais ici, devant tout le monde, qui est ce clown ?

L'agent Ford lui tordit le bras un peu violemment.

— Vous aurez toutes vos réponses au moment du procès, monsieur Townsend. Nous avons appelé une voiture banalisée qui vient vous chercher. L'inspecteur Brightman va vous lire vos droits afin que nous puissions vous emmener au poste.

Jamie intervint.

— Une minute, monsieur Ford. J'aimerais beaucoup dire qui je suis à cet homme.

Le souffle de Vicki se bloqua dans ses poumons. Elle dévisagea Jamie qui regardait Graham droit dans les yeux. Non, il n'allait pas...

— Vous avez raison, Townsend. Je ne suis pas le cousin de Vicki. Je suis l'obstacle insurmontable à cette proposition que vous avez *failli* lui faire. Je suis son mari.

*
* *

Jamie avait pris un risque. Il ne savait pas si Vicki le lui pardonnerait, mais il éprouva une satisfaction intense à voir se décomposer la face du sagouin qui venait de la rabaisser. L'ultime affront qu'elle pouvait lui faire, c'était de s'essuyer les pieds sur le nom de Townsend.

Il en avait perdu sa superbe, M. l'Arrogant Aristo. Une veine palpitait à sa tempe.

— C'est vrai, Victoria ? bredouilla-t-il. Tu es mariée à ce pantin ?

Vicki regarda Jamie avec des yeux pétillants. Puis elle se tourna vers Graham en arquant les sourcils.

— Mais oui, c'est vrai. Nous sommes mariés depuis treize ans. Aurais-je oublié de te le dire ?

— Tu es vraiment la dernière des…

— Allons, monsieur Townsend ! intervint l'inspecteur. Vous aurez tout loisir de terminer votre phrase quand vous reverrez cette dame, dans environ vingt ans.

Les deux collègues réprimaient un sourire. Ils ne devaient pas assister tous les jours à des scènes aussi distrayantes.

Graham fut emmené par l'arrière-cour de façon à ne pas alerter le voisinage. Ford et Brightman restèrent pour cueillir le client qui se présenta à 14 heures. Puis une équipe des douanes arriva avec un container afin de récupérer toute la cargaison d'Amsterdam, qui serait restituée après complète inspection.

La nuit était tombée quand Vicki et Jamie se retrouvèrent enfin seuls. Elle s'écroula dans son fauteuil.

— Quelle journée, hein ? murmura-t-il.

— Fatigante, mais je suis moins secouée que je ne l'aurais cru… Je n'avais jamais remarqué que Graham me méprisait à ce point.

256

— C'est un gougnafier. Je l'ai senti rien qu'à travers le téléphone à Pintail Point. Je savais que ce type ne t'arrivait pas à la cheville… foulée ou pas, ajouta-t-il avec un sourire en coin.

Elle lui adressa un sourire identique.

— Tu n'as pas pu t'empêcher de le lui dire, n'est-ce pas ?

Il savait à quoi elle faisait allusion.

— Vicki ! Comment voulais-tu que je me taise ? Je n'allais pas laisser un gangster de bas étage, qui a bafoué tout ce que tu as construit, te traiter de haut alors qu'il a pratiquement la corde autour du cou ! Et puis… c'était le moment ou jamais de t'amener à réfléchir aux avantages de cette union idyllique et aux jours assez fabuleux que nous avons passés ensemble…

— Combien de jours ?

Elle déplia ses doigts pour compter :

— Six ? Sept ?

— Treize ans !

Jamie révisa sa réponse.

— Au moins deux semaines. De toute façon, c'est la qualité qui compte, pas la quantité !

Vicki réfléchit en hochant la tête, semblant lui concéder le point. Or, c'était à Graham qu'elle pensait.

— Au fond, je suis plutôt contente que tout ce gâchis soit arrivé…

— Pourquoi contente ?

— Parce que, si Graham avait été un homme honnête, j'aurais certainement culpabilisé en refusant sa demande en mariage samedi soir.

Jamie enregistra la déclaration avec plaisir. Il poussa l'effigie de Beasley et se percha sur le bord du bureau.

— Quand as-tu décidé de refuser ?

Elle prit la sculpture et la contempla avec cette sorte d'adoration dont Beasley lui-même était capable.

— Je ne sais pas exactement. Peut-être hier soir... à cause de ça. C'est le plus beau cadeau que j'aie jamais reçu, Jamie. Merci.

Soudain, cette sculpture de Beasley devenait la plus grande réussite de sa carrière.

— Ainsi, tu aimes cet animal ?

— Je l'adore ! Et j'adore ton travail, Jamie Malone. Tu as vraiment beaucoup de talent...

Elle reposa délicatement le chien au milieu du bureau.

— Quoi qu'il en soit, mon taux de succès dans le mariage n'est pas vraiment un exploit. J'ai épousé un pauvre immigrant contre cinq mille dollars, et j'ai failli épouser un voleur pour gagner la respectabilité. Quelle farce ! Je devrais probablement prendre des cours avant de m'y réessayer !

Jamie sourit.

— Je peux t'en donner. Leçon n° 1 : avoir confiance en soi. Une fois que tu maîtrises celle-là, le reste vient tout seul.

Le visage de Vicki se chiffonna de tristesse.

— Ce n'est pas si simple, Jamie...

— Deuxième paragraphe de la leçon : avoir un homme qui vous aide, qui sait que vous êtes une femme merveilleuse, intelligente et chaleureuse, gaie et pleine d'humour, bien qu'elle ait été élevée par un couple de ronchons qu'elle appelle affectueusement M'a et P'a Maussades.

Les yeux scintillant de larmes, Vicki sourit et moulina du poignet, l'incitant à continuer.

— Encore, je suis tout ouïe.

— Et tu n'es pas si laide à regarder... Mais la confiance en soi ne s'acquiert pas en cinq minutes. Le postulat serait de ne pas renvoyer le professeur en Caroline du Nord dès aujourd'hui.

Son sourire s'élargit.

— Oh ça ! J'avais l'intention de lui demander de rester, juste après l'avoir remercié d'avoir sauvé mon magasin et de m'avoir empêchée de ruiner ma vie. Reste pour l'ouverture, Jamie.

Il se leva d'un bond primesautier.

— Whaou ! Je ne suis peut-être pas du bois dont on fait les bons maris, mais j'ai l'impression d'être grimpé à l'échelon du meilleur ami.

Elle lui prit la main.

— Oui, Jamie. Incontestablement.

Jamie s'accroupit, enserrant sa main dans les siennes.

— Et qu'attends-tu de ton meilleur ami, là, tout de suite ?

Vicki réfléchit un instant, puis lança :

— Qu'il m'emmène à la plage avec Beasley, et qu'il me parle. Qu'il me parle de lui, de tout ce que je ne sais pas... de ses secrets...

Il se redressa, les bras écartés.

— Moi ? Vicki, mon amour, je n'ai pas de secrets...

— Non, Jamie, mais je voudrais que tu me parles de ta mère, de Bobbi Lee et de ses fils, de ta relation avec eux. De tes buts dans la vie, avec autant de talent.

Elle tordit la bouche en une moue espiègle.

— C'est quoi ? Des jeux de comptoir, toujours plus ciselés, toujours plus parfaits ?

Jamie la tira de son fauteuil.

— Viens, allons offrir cette promenade nocturne à Beasley.

*
* *

Ce soir-là, en s'endormant, Vicki avait la tête fourmillante d'images, de paysages, de personnages, d'histoires et de bribes de dialogues, comme dans son enfance lorsqu'elle avait passé deux heures à lire en cachette un roman palpitant. Mais, mieux encore, elle avait passé deux heures avec un conteur à la voix envoûtante lui retraçant la vie à Pintail Point. Elle n'avait jamais rien entendu d'aussi fascinant.

Il lui avait parlé de Bobbi Lee et de Brian. Il reconnaissait son tort d'avoir laissé Bobbi s'accrocher à la sécurité qu'il représentait, mais il ne s'agissait pas d'amour ; Bobbi avait simplement peur de perdre une sorte de soutien de famille mais avec elle, les choses s'arrangeaient toujours.

Jamie avait aussi dit qu'il rêvait d'avoir des enfants, mais qu'il souhaitait plus ardemment encore avoir à ses côtés la femme qu'il aime, et qu'il ne l'avait jamais trouvée avant que Vicki n'apparaisse sur la passerelle de sa péniche.

Elle avait appris que Bayberry Cove ne se réduisait pas aux marais et aux bougies de jojoba. C'étaient des enfants, et des chiens, et des gens simples. Et Kate Malone, qui avait insisté pour que son patron – et ami – trouve une brèche dans la convention sans faille de Louise. Et l'aguerri procureur Haywood Fletcher, qui ne rechignait pas à distordre un peu l'interprétation d'un document quand l'avenir de son « fils de cœur » était en jeu.

— Tu me pardonnes d'avoir eu recours à une astuce pour te garder enchaînée à moi une semaine de plus, Vicki Sorenson Malone ? avait-il demandé.

— Je suis bien obligée, vu la façon dont les choses ont tourné. Mais ce que je ne comprends pas, c'est que Louise ait pu te pardonner, avait-elle répondu d'un ton entendu.

Ils avaient ri.

Puis Vicki l'avait questionné sur son travail. Jamie avait avoué avec réticence que ses sculptures connaissaient quelque succès.

— Pourquoi ne me l'as-tu jamais dit ? s'était-elle étonnée.

— Peut-être parce que je manque d'assurance, moi aussi. Voyant ce qui t'attirait chez Graham, je me sentais peu de chose.

Elle avait posé la main sur sa joue.

— Oh ! Jamie, j'ai changé… j'ai été attirée par l'argent et les privilèges… mais, ces derniers temps, j'ai commencé à voir l'or là où il se trouve, ailleurs que dans ce qui brille…

Il avait haussé les épaules.

— C'est passager, parce que Graham t'a échaudée.

— Non. La transformation a commencé avant que Graham ne me déçoive…

Elle avait osé aller au bout de sa confession :

— Je crois que cela a commencé à la lueur des bougies, dans la péniche…

Vicki se pelotonna dans son lit, bercée par le souvenir de leur conversation. Jamie avait dit qu'il voulait lui donner le temps de réfléchir… Et que lui avait-il dit, à propos de l'inauguration du magasin ?

— Tu me reconnaîtras, je serai celui qui se rengorgera de fierté comme s'il était le mari de la reine du jour.

Puis il avait dit que si, après, elle choisissait le divorce, il rentrerait et lui enverrait les papiers…

— Comme toutes les choses de la vie, notre mariage est un risque. Mais, Vicki, on n'atteint jamais le rêve si on ne prend pas le risque…

16.

Sortie de la douche, Vicki mit son peignoir en éponge, se sécha les cheveux et plaça ses rouleaux chauffants. Elle n'avait presque pas besoin de maquillage. Le miroir lui renvoyait un visage radieux, au teint éclatant et aux yeux étincelant de désir, comme chaque fois qu'elle fantasmait depuis deux jours sur un certain Irlandais qui se trouvait être son mari.

L'ouverture de Thé et Antiquités ne ressemblerait en rien à ce qu'elle avait imaginé quinze jours plus tôt. Bien que le secret ait été bien préservé, ce serait pour Vicki un cocktail d'adieu. Elle s'était rendu compte qu'après le scandale, elle serait incapable de travailler dans ce magasin et avait décidé d'en laisser la gérance à Hazel et Marcia Huggins. Trop contentes de l'aubaine, ses deux associées enthousiastes, débordantes d'idées et d'énergie, sauraient mieux qu'elle se servir de la publicité pour transformer un fait divers sordide en affaire florissante.

Vicki avait l'habitude de déménager et de repartir de zéro. De plus, aujourd'hui, elle se sentait beaucoup moins attirée par les antiquités luxueuses et les villes huppées peuplées de rupins. Elle envisageait un redémarrage avec une vieille brocante, fréquentée par de vrais chineurs et proposant tout un bric-à-brac de petites merveilles à découvrir.

Restait à découvrir la brocante en question. Et où...

Un frisson surgi de nulle part la parcourut et, avant que Vicki n'ait le temps d'en chercher la cause, on frappa à sa porte. Déjà ! Elle n'était même pas habillée !

Elle alla ouvrir à une Louise perchée sur des talons aiguilles dangereusement hauts et moulée dans une robe à bretelles qui collait sur elle comme de la feuille d'or sur une statue.

— Tu es fracassante, Loulou, comme toujours !

— C'est pour toi, ma biche. Je ne voudrais pas que tout Fort Lauderdale se demande quel genre de racaille tu fréquentes.

L'inénarrable humour noir de Louise Duncan...

Elle entra dans la cuisine pendant que Vicki retournait dans la salle de bains pour ôter ses bigoudis.

— Tu as une bouteille de vin ouverte ?

— Non, mais sers-toi.

— D'accord, mais uniquement parce que je sens que tu as besoin d'un remontant.

Vicki entendit le cliquetis des ustensiles dans le tiroir.

— Moi ?

— Hé ! Ce n'est pas tous les jours qu'une femme fait jeter le célibataire le plus convoité de la région dans un pénitencier d'Etat.

Vicki prit le verre que son amie lui tendait. De toute évidence, Louise se réjouissait des derniers événements.

— Mme Townsend est passée à la firme, aujourd'hui.

Vicki faillit s'étrangler sur le chablis.

— C'est toi qui vas défendre Graham ?

Louise égrena son rire perlé.

— Moi ? Sûrement ! Allons, Vic, ces gens-là s'adressent à Dieu, pas à ses saints. Que crois-tu ? Mme Susan Townsend

263

a passé deux heures dans le bureau de Me Oppenheimer en personne.

Etrangement, Vicki en ressentit un certain soulagement. Elle plaignait sincèrement Susan Townsend d'avoir eu à subir l'arrestation de son fils.

— Au moins, il aura un avocat compétent, dit-elle.

— Le meilleur que l'argent puisse acheter.

Pour une fois, Louise exprima une note de compassion.

— La pauvre femme m'a fait pitié. Elle était en sanglots quand elle a quitté le cabinet du patron. Aussi bon que soit son avocat, la cause est perdue d'avance. Les seules variables sont la durée d'incarcération et le nombre d'appels qu'il pourra interjeter.

Louise but une gorgée en regardant Vicki ôter ses rouleaux.

— La traversée du procès va être dure, pour toi.

— Je survivrai, dit Vicki.

Vicki savait qu'elle ne serait pas seule. Jamie la soutiendrait tout du long, de son appui calme et solide.

Louise lui arracha le dernier rouleau.

— Dépêche ! Tu as vu l'heure ?

Elle poussa Vicki vers la chambre.

— Voyons voir ce qu'une respectable antiquaire va porter pour son cocktail d'ouverture... Oh ! parfait ! s'extasia-t-elle devant le long fourreau lamé noir étalé sur le lit. Visiblement onéreux, élégant, et ça crie : « Prenez-moi là, tout de suite, sur le buffet ».

Vicki serra les lèvres. En l'achetant, elle avait pensé que le fourreau serait parfait pour le cocktail, et la fermeture à glissière parfaite pour tout ce qui pourrait survenir après.

— Enfile-le vite que la crème de Fort Lauderdale puisse t'admirer ! la pressa Louise en s'étalant sur les coussins.

Puis, remarquant la couleur prune du récépissé sur la table de chevet, elle émit un sifflement :

— De chez Maxines ! Tu m'impressionnes.

— Personne n'a dit que je devais rendre les quatre mille dollars de la coiffeuse ; alors je me suis autorisé une folie ! avoua Vicki en retournant s'habiller dans la salle de bains.

— Tiens donc… Et quand, exactement, as-tu décidé que tu voulais Jamie Malone ?

— Qu'est-ce que tu racontes ?

— Le récépissé ! La date te trahit. Tu ne l'as pas acheté pour Graham. C'est les yeux de Jamie que tu espères faire sortir de leurs orbites.

Vicki ne prit la peine ni de confirmer ni de démentir. Louise se matérialisa à la porte de la salle de bains.

— Ecoute, chérie. Si tu le veux, il est à toi. De toute façon, tu as déjà pris une bonne longueur d'avance sur moi à ses splendides yeux verts. Mais joue cartes sur tables, parce que je te l'avoue franchement…

Elle passa un doigt le long de son décolleté plongeant.

— Moi aussi, je porte ça pour Jamie. Et je n'ai pas peur de l'admettre. Alors, s'il n'est pas chasse gardée, tu peux être sûre que je ferai tout pour que ce soit la soirée de Loulou.

Vicki se brossa les cheveux.

— Il *est* chasse gardée.

Louise sourit, avec autant de satisfaction qu'elle l'aurait fait dans le cas contraire.

— Extra. Considère-moi hors-jeu. Maintenant, où est ton tiroir à lingerie ?

— Le deuxième. Mais je n'ai pas beaucoup de choix. Je n'ai que deux soutiens-gorge sans bretelles.

— Je parle de la petite culotte, idiote ! Oublie le soutien-gorge.

— Quoi ? Oublier le soutien-gorge ?

Les filles de l'Indiana n'oubliaient jamais leur soutien-gorge !

Louise revint devant la glace et admira son allure en s'effleurant les seins.

— Victoria... Toi et moi, nous n'avons plus que quelques années à profiter que ces jouets tiennent leur rôle. Jouons à fond, pendant qu'ils travaillent encore pour nous.

Vicki réprima un gloussement.

— O.K. C'est toi, l'experte. Alors, pas de soutien-gorge.

Le parfum Rhum Tropical Epicé poursuivit Jamie à la sortie du salon de coiffure pour hommes de Las Olas Boulevard. Il se passa une main dans les cheveux en s'émerveillant qu'un homme puisse se laisser entraîner par l'air du temps à débourser de son plein gré cinquante dollars pour une coupe qui en coûtait douze à Bayberry Cove. Enfin... le coiffeur lui avait dit qu'il était « plus fringant » ! « Fringant » devrait faire l'affaire pour l'ouverture de Thé et Antiquités.

Il entra dans la boutique hommes un peu plus loin afin de s'acheter un costume. Il n'en possédait qu'un pour les très grandes occasions. En général, pour ses vernissages, un jean propre lui suffisait. Il avait acheté le costume trois ans plus tôt, lorsqu'il avait reçu un doctorat *honoris causa* du Département Humanités de l'université de Duke. Ledit costume lui servait pour les mariages, enterrements, baptêmes et autres événements de Bayberry Cove. Comme il l'avait laissé dans sa penderie du *Bucket o'Luck,* il ne lui était d'aucune utilité aujourd'hui.

Jamie ressortit de la boutique avec un costume gris anthracite dans un sac en luxueux papier glacé et une boîte à chaussures sous le bras. A son arrivée à l'appartement, le téléphone sonnait. Il s'empressa de déposer ses achats sur le premier fauteuil.

— A quoi tu sers, Beas ? Tu n'es même pas capable de décrocher, lança-t-il au chien en allant répondre.

Beasley le regarda d'un air distant avant de détourner la tête comme si le Rhum Tropical Epicé ne l'enchantait pas.

— Allô ?

— Jamie chéri ! carillonna la voix de sa mère.

— Maman ! Comment ça va, à Cove ?

— Tout va très bien, mon fils. Je crois avoir une bonne nouvelle qui ne va pas te déplaire.

Une bonne nouvelle ? Jamie ne voyait pas…

— Dis.

— Les piliers du Kettle racontent que Bobbi Lee a retrouvé le sourire…

Jamie en eut un frisson de joie. Bobbi Lee, le sourire : un amant en perspective.

— … Il y a un jeune veuf, avec une fillette de huit ans, qui vient d'emménager en ville. Elle ne parle plus que de lui. Je l'ai croisé l'autre jour et il a l'air très sympathique.

— Oh maman ! Tu n'imagines pas le plaisir que tu me fais, de m'appeler pour m'annoncer ça.

— Bien sûr que si, je l'imagine, mon grand. J'ai rencontré Bobbi ce matin au supermarché ; elle m'a dit que vous aviez parlé tous les deux. Elle est persuadée que tu vas rentrer avec Vicki, et maintenant qu'elle a le cœur ailleurs, elle s'inquiète de ne pas s'être montrée assez aimable et a peur que ta femme lui batte froid.

Jamie ne put que rire. Plus compliquée que Bobbi Lee, tu meurs !

— Je te fais confiance, tu l'as rassurée.

— Bien sûr ! Je ne connais pas beaucoup Vicki, mais elle m'a donné l'impression d'être une femme clémente... Elle me plaît bien, Jamie. Je sens une ardeur en elle, et une douceur aussi, une tendresse... Tu sais, depuis que je l'ai vue, je me demande s'il n'y avait pas une raison pour que tu n'aies jamais divorcé et cherché à en épouser une autre. Alors, où tu en es, avec elle ?

Sa mère n'étant pas au courant de ses déboires avec Graham, et Jamie n'ayant pas le temps de se lancer dans de longues explications, il répondit sans réfléchir :

— Elle a rompu avec l'autre, mais il est encore trop tôt pour que tu programmes des petits-enfants.

Il regretta ses mots à l'instant où ils sortirent de sa bouche.

— Des bébés ! s'exclama Kate béate. Ah ! mon Jamie, si vous me donniez ce bonheur...

— Ne te berce pas de faux espoirs, maman. Vicki ne veut pas d'enfants. A la vérité, la maternité l'effraie.

— Effrayée ? La pauvre chérie ! La maternité est le plus beau cadeau du monde. Même quand tes enfants te brisent le cœur, cela vaut toujours le bonheur de les voir grandir.

Jamie eut un pincement de tristesse. La vie avait été trop injuste avec Kate Malone, cette mère qui n'avait jamais désespéré de ses fils.

— Ce n'est pas dans ce sens-là que Vicki est effrayée, dit-il. Elle n'en a jamais fréquenté et elle a peur de ne pas savoir s'y prendre. Elle s'est mis en tête qu'elle ne ferait pas une bonne mère.

— Elle ? Mon Dieu ! Amène-la à Pintail Point un vendredi après-midi avec toute ta marmaille ! Je te parie que le soir même elle t'en demandera un !

Pour un peu, Jamie se serait laissé gagner par l'euphorie. L'optimisme à toute épreuve de sa mère avait toujours eu sur lui cet effet contagieux.

— Ne rêvons pas, m'man. Je ne sais même pas si je vais rentrer avec elle. On en reparlera dans quelques jours, d'accord ? Salut à Heywood.

Il raccrocha et fila se doucher pour se débarrasser de ce parfum avant même de servir ses croquettes à Beasley.

S'il avait passé sa célébrité sous silence afin que Vicki l'aime pour lui-même, il n'allait pas prendre le risque qu'elle l'aime pour le Rhum Tropical Epicé, songea-t-il tandis que l'eau ruisselait sur son corps.

Vicki, flanquée de Louise, n'arriva que dix minutes avant l'heure et laissa la porte ouverte. Hazel et Marcia Huggins s'étaient occupées de tout.

La stéréo installée par Jamie diffusait une musique d'ambiance classique de bon ton ; le buffet du traiteur dans le salon de thé était sublime et le magasin d'antiquités, débarrassé des meubles d'Amsterdam, était superbe.

Vicki félicitait Hazel lorsque le carillon d'entrée annonça le premier arrivant. Hazel cessa de parler et baissa ses lunettes pour regarder par-dessus.

— Je n'en crois pas mes yeux ! chuchota-t-elle. Vicki ? N'est-ce pas votre cousin Jamie ?

Vicki se retourna et tout son corps fut parcourut de fourmillements. C'était bien Jamie, mais presque méconnaissable, avec les cheveux rafraîchis et disciplinés. Seuls ses yeux d'émeraude époustouflants et ce brillant sourire pouvaient encore rappeler le garçon qu'elle avait épousé treize ans plus tôt.

Il s'avança, la regardant aussi intensément qu'elle le regardait. En fait, il paraissait presque un peu intimidé.

Finalement, il baissa les yeux sur sa chemise puis lui adressa ce familier sourire en coin.

— J'ai de la moutarde sur ma cravate ? demanda-t-il.

Son humour se répandit en Vicki, aussi chaud qu'une gorgée de vin. Elle secoua la tête.

— Non, tu es simplement magnifique.

Ce fut la première fois qu'elle le vit rougir.

— Hum. Eh bien… voyons combien de temps je peux le rester. Bonsoir, Hazel. Bonsoir, Louise. Quoi de neuf, dans les sphères juridiques ?

Louise émit un râle de frustration.

— Je ne suis pas sûre de m'en soucier pour l'instant, rétorqua-t-elle sèchement.

— Si je vous avais rencontré dans la rue, je ne vous aurais pas reconnu, roucoula Hazel avec l'audace malicieuse que lui permettait son âge.

Pendant que celle-ci engageait la conversation avec Jamie, Louise chuchota à l'oreille de Vicki :

— Tu as intérêt à mener ton affaire jusqu'au nirvana, parce que je regrette déjà cette promesse que je t'ai faite.

— Alléchant, non ? souffla Vicki.

— Alléchant ? Ma biche, c'est ce qu'on dit d'une part de gâteau au chocolat. Malone est d'une autre nature.

Puis elle arracha d'autorité Jamie à Hazel, en poussant Vicki entre eux.

— Vicki est renversante, ce soir, vous ne trouvez pas?

Vicki aurait voulu pouvoir tourner en dérision cette entremise pas très subtile, mais aucune plaisanterie ne lui vint à l'esprit. La sensualité du regard de Jamie la liquéfiait.

— Très jolie, dit-il.

Ses mots furent ponctués par une volée de clochettes qui amenait une vague de visiteurs.

Brillant, Malone ! se félicita Jamie tandis que Vicki allait accueillir ses premiers clients. « Très jolie ». C'est tout ce que tu as trouvé à dire ? Il la regarda ondoyer gracieusement à travers le groupe, s'arrangeant pour que chaque personne se sente bienvenue.

Son fourreau exposait assez de peau satinée pour propulser les fantasmes d'un homme à des sommets vertigineux. Elle étincelait, de ses cheveux cascadant en boucles bondissantes entre ses omoplates jusqu'aux lanières de ses sandales qui soulignaient des orteils vermeils.

Sophistiquée et érotique, angélique et séductrice, innocente et sensuelle... Pour un homme qui venait de dire « jolie », les adjectifs lui venaient maintenant à l'esprit comme des bulles de champagne.

Le cocktail d'ouverture ne dura que quatre heures, mais ce fut pour Jamie une véritable éternité. A partir de la première vague de chalands, Thé et Antiquités ne désemplit plus. Il remarqua que Vicki présentait sa collaboratrice Hazel Huggins à la ronde comme si elle se retranchait derrière. Sans doute s'en servait-elle comme paravent afin d'éviter d'éventuelles questions indiscrètes sur les malversations de son ex-importateur.

De son côté, Jamie bavarda avec le maire, sympathisa avec des membres du comité d'Embellissement de Fort Lauderdale, discuta antiquités avec des collectionneurs dont les connaissances dépassaient de beaucoup les siennes, mais il put aussi se targuer d'amener un ou deux acheteurs hésitants à acquérir la merveille qui les tentait. Il fallait dire que, dépouillé des articles douteux de Graham, le magasin mettait en valeur chaque meuble et chaque objet choisi par Vicki avec un goût sans faille. Comment avait-elle pu imaginer trouver plus de raffinement chez les autres que chez elle ? A la lumière de son enfance et de ses parents, Vicki Sorenson était un miracle de la nature.

Enfin, un peu avant 21 heures, Marcia et le serveur en extra commencèrent à débarrasser le buffet et le salon de thé se vida peu à peu. Louise Duncan semblait avoir fait la connaissance d'un industriel qui manifestement ne lui déplaisait pas et qui l'invitait à dîner. Hazel et sa fille se retirèrent avec les derniers retardataires vers 9 h 10.

Lorsqu'ils furent seuls, Vicki entraîna Jamie dans la cuisine en toute hâte et se pencha sur le plateau des restes.

— Je n'ai pas eu le temps de grignoter ! Je vais tomber d'inanition, dit-elle en prenant délicatement un mini-feuilleté entre le pouce et l'index. As-tu mangé quelque chose ?

Elle ne le laissa pas répondre et lui glissa d'office la pâtisserie dans la bouche. Puis elle lui essuya une trace de sucre sur la lèvre et lécha lentement son doigt. Jamie dut produire un effort herculéen pour avaler la bouchée coincée dans sa gorge. Pendant qu'il s'y escrimait, Vicki noua les bras autour de lui.

— Tu as été fantastique, ce soir, Jamie. Comment pourrai-je jamais te remercier ?

Il haussa un sourcil.

— Je crois que j'ai encore un peu de sucre sur la lèvre, parvint-il enfin à dire. Et comme tes mains sont prises...

— Facile, murmura-t-elle en promenant sa bouche chaude et douce sur la sienne.

La libido de Jamie décolla comme une fusée. En érection intense et instantanée, il saisit les hanches de Vicki et l'écrasa contre son ventre. Les seins plaqués contre son torse, elle

272

renversa le cou, lui donnant accès à la chair satinée qu'il avait désirée à distance toute la soirée.

Il dessina une arabesque de baisers sur sa gorge et ses épaules et, quand il revint à sa bouche, elle captura sa langue entre ses lèvres, évoquant des caresses d'un érotisme à damner un saint. Il infiltra une main sous le lamé noir et rencontra un globe doux et ferme qui lui emplit la paume. Vicki scella ses hanches aux siennes en ondulant avec un râle de volupté.

D'un coup, elle s'écarta, le visage enflammé de désir.

— Tu sais de quoi j'ai envie ?

Jamie chercha son souffle.

— Je serais le plus borné des hommes si j'interprétais ça de travers.

Elle rit :

— J'ai envie de passer au Flanagan, d'acheter quelques Guinness, deux portions de ragoût, et de rentrer chez moi.

— Tiens donc ? Des envies de plat irlandais, ce soir ?

Elle prit tendrement son visage dans ses mains.

— De tout ce qui est irlandais, ce soir.

Pour la première fois de sa vie, Jamie comprit ce que voulait dire « avoir le cœur qui menaçait de se décrocher ».

— Quelle étonnante coïncidence ! gouailla-t-il avec son accent le plus épais. Sais-tu que je suis irlandais, moi aussi ?

— Bien sûr, je sais les reconnaître ! J'ai été mariée à un Irlandais, autrefois. Ces gars de Belfast, tu les repères même à distance sur le toit d'une péniche. Je n'en voudrais pas d'autre. Maintenant, que dis-tu de ma proposition ?

Dire ? Que pouvait-il dire ? Il voulait crier à tous vents, jouer de la cornemuse, chanter une niaiserie de ballade romantique ! Vicki se donnait à lui. Elle l'acceptait pour le pauvre immigrant irlandais qu'il était. Elle l'aimait, comme elle n'avait jamais aimé Graham.

A cet instant, Jamie venait de trouver tout ce qui lui avait manqué dans sa vie.

— Je dirais que tu possèdes un don unique, Vicki.

— Lequel ?

— Presque tous les types de mon âge se plaignent qu'après treize ans de mariage, le piquant s'émousse. Et toi, tu as trouvé le moyen le plus amusant de conserver toute sa fraîcheur au nôtre...

— Excusez-moi, intervint timidement une voix.

Ils se retournèrent en sursaut. Tous les visiteurs n'étaient donc pas partis ? Une femme entre deux âges, très élégamment vêtue, collier de perles et tralala, sourit à Vicki.

— Il y a un article que je tiens absolument à acheter, dit-elle. En vous voyant disparaître dans l'arrière-boutique, j'ai cru que vous alliez déposer quelque chose et que vous ressortiriez, alors j'ai attendu. Mais, comme je suis la dernière personne, je crains que vous n'ayez pas remarqué ma présence.

— Euh... non, en effet, bredouilla Vicki en entraînant Jamie dans le sillage de la cliente. Que désirez-vous, madame ?

La femme les conduisit devant la vitrine où Vicki avait enfermé les bibelots anciens de grande valeur susceptibles d'être chapardés.

— Vous avez une œuvre de l'un de mes artistes préférés. Je ne la manquerais pour rien au monde, elle est sublime...

Vicki partageait son avis – et ne la vendrait pour rien au monde.

— Désolée, madame, cette sculpture n'est pas à vendre.

— Non ? Quel dommage ! Ecoutez, je sais ce que valent les œuvres de J.D. Malone ; je vous double le prix, si vous voulez. J'espérais tellement ajouter celle-ci à ma collection.

Vicki haussa un sourcil vers Jamie. Le regard de celui-ci s'était fixé au plafond. Il se pinçait la lèvre entre les dents en essayant de dissimuler un sourire qui rôdait au coin de sa bouche.

Elle reporta son attention sur la cliente.

— Une collection, dites-vous ? Vous devez faire erreur, madame. Celui qui a sculpté ça est un petit artiste local de Caroline du Nord.

La femme secoua la tête avec une expression offensée.

— Oh non ! je ne risque pas de me tromper ! La facture J.D. Malone est trop célèbre. Me permettez-vous de voir la signature ?

Vicki alla prendre la clé dans le tiroir de son bureau et ouvrit la vitrine. La riche cliente mania la statuette de Beasley telle une sainte relique.

— Elle est vraiment divine ! Les pattes de ce chien, on croirait le voir marcher, tout de guingois...

Jetant un coup d'œil à la signature, la dame découvrit la dédicace.

— J.D. Malone, évidemment... Auriez-vous la chance de le connaître ?

Vicki leva les yeux sur Jamie.

— Non, je n'en suis pas sûre. Et toi, tu sais quelque chose de ce sculpteur ?

Jamie releva le défi avec une taquinerie.

— J'en ai entendu parler. On dit qu'il habite dans une vieille péniche avec un chien bon à rien. C'est un type simple, qui aime le beau bois. Il paraît qu'il a du talent.

Oh ! Et il est marié depuis treize ans, et fou amoureux de sa femme.

— Eh bien, le nargua Vicki, tu sembles connaître beaucoup de détails sur sa vie intime.

Il haussa les épaules.

— On a quelques amis communs.

— Je vois.

Elle sourit à la cliente qui attendait, perplexe.

— Je suis navrée de ne pouvoir vous vendre cette pièce, mais, si vous voulez me laisser votre adresse, je contacterai l'artiste et j'insisterai pour qu'il vous envoie gracieusement une autre de ses créations.

La femme élégante faillit tomber en pâmoison.

— Vraiment ? Vous pourriez faire cela ?

Vicki l'entraîna vers son bureau en jetant un coup d'œil par-dessus son épaule à Jamie.

— Tu pourrais, n'est-ce pas, chéri ?

— Sans aucun doute.

Quand la dame eut noté son adresse – à Los Angeles, en Californie, rien que ça ! – Vicki la raccompagna, ferma la porte et se retourna, bras croisés.

— Quoi d'autre, que tu aies omis de me dire à ton sujet ?

Jamie arbora une mine penaude.

— Je crois que c'est tout… Oh si ! attends, il y a autre chose…

— J'imagine.

— Viens ici, il faut que je te le montre sur le papier.

Vicki le rejoignit. Il dessina d'un trait de plume précis un plan succinct de Pintail Point.

— Tu vois où Luther a placé le barrage sur Sandy Ridge Road ? Tu te souviens d'une colline boisée, derrière ?

Elle se souvenait parfaitement de la douce colline qui surplombait les marais et descendait vers Currituck Sound.

— Oui, et alors ?

— Eh bien, elle est à moi. Deux hectares. J'avais acheté pour faire construire, mais je ne m'y suis jamais décidé. Le jour où tu es repartie dans la vedette de Luther, je me suis tenu là, sur le pont du *Bucket*, à contempler ce monticule. Et j'ai rêvé. Rêvé que, si tu pouvais faire fi de tout ton bon sens et t'enticher d'un renégat Malone, nous pourrions vivre là, dans une maison qui scintillerait sous les étoiles et rirait à tous les vents de Currituck. Et que, s'il arrivait que ton cœur soit soudain en mal de maternité, nous installerions la nursery dans l'aile sud-ouest...

Il lui prit la main.

— Sinon, cela fera un agréable solarium où la maîtresse de maison pourra se prélasser en se chauffant les doigts autour d'une tasse de thé les après-midi d'hiver...

En visualisant la maison de Jamie, Vicki sentit son cœur se gonfler de rêves qu'elle ne s'était jamais permis.

— Tu as pensé tout ça ?

— A quoi sert de rêver si on voit petit ?

— Je crois que j'aime tes rêves.

— Mais toi, Vicki ? Quels sont les tiens ? Ton magasin ?

Elle se nicha dans le seul rêve qui comptait pour elle, les bras enveloppants de Jamie, et lui parla de la décision qu'elle avait déjà prise.

— Mais ce sera une gérance, je reste propriétaire du bail. Je devrai venir à Fort Lauderdale de temps en temps...

— Dieu merci !

Elle le regarda.

— Cela ne t'ennuie pas ?

— M'ennuyer ? Tu as vu Beasley sur les plages de Floride. Il a presque adopté le surf.

Vicki rit puis grimaça.

— Mais M'a et P'a Sorenson ? Que diras-tu quand le toit du poulailler s'envolera et que les poules cesseront de couver ?

— Celle-là est facile ! Je dirai à P'a que sa fille a épousé un menuisier, et je lui proposerai de réparer le poulailler en le priant d'affûter ses outils pour mettre la main à la pâte. A deux, lui et moi, nous remettrons ces poules à couver à l'abri en un rien de temps.

Vicki sourit à l'évocation du tableau : son père maniant le marteau et la scie sous les directives de Jamie…

— Je n'y aurais pas pensé, dit-elle. Mais, s'il s'aperçoit qu'il est désormais obligé d'aider, il pourrait même conserver la ferme en meilleur état.

Jamie hocha la tête.

— J'ai toujours dit que tu étais une fille futée. Maintenant, avons-nous oublié un autre détail important ?

Elle réfléchit.

— Je ne vois pas.

Il lui prit le visage et lui donna un long baiser passionné.

— Nous n'avons plus qu'à commencer notre lune de miel, alors. Cela fait treize ans que je l'attends ! Et je te garantis qu'elle durera plus longtemps que ça, Vicki. Si c'est d'être dorlotée qui t'a manqué dans ta vie, je te promets qu'à Bayberry Cove tu en auras ton content !

Chère lectrice,

Vous nous êtes fidèle depuis longtemps?
Vous venez de faire notre connaissance?

C'est pour votre plaisir que nous avons
imaginé un rendez-vous chaque mois
avec vos auteurs préférés, vos
AUTEURS VEDETTE dans les
collections Azur et Horizon.

Les AUTEURS VEDETTE vous
donneront rendez-vous pour de
nouveaux livres vedette.

Pour les reconnaître, cherchez
l'étoile... Elle vous guidera!

Éditions Harlequin

AUT-R-R

HARLEQUIN

LE FORUM DES LECTEURS ET LECTRICES

CHERS(ES) LECTEURS ET LECTRICES,

VOUS NOUS ETES FIDÈLES DEPUIS LONGTEMPS?

VOUS VENEZ DE FAIRE NOTRE CONNAISSANCE?

SI VOUS AVEZ DES COMMENTAIRES, DES CRITIQUES À FORMULER, DES SUGGESTIONS À OFFRIR, N'HÉSITEZ PAS… ÉCRIVEZ-NOUS À:
>LES ENTERPRISES HARLEQUIN LTÉE.
>498 RUE ODILE
>FABREVILLE, LAVAL, QUÉBEC.
>H7R 5X1

C'EST AVEC VOS PRÉCIEUX COMMENTAIRES QUE NOUS ALLONS POUVOIR MIEUX VOUS SERVIR.

DE PLUS, SI VOUS DÉSIREZ RECEVOIR UNE OU PLUSIEURS DE VOS SÉRIES HARLEQUIN PRÉFÉRÉE(S) À VOTRE DOMICILE, NE TARDEZ PAS À CONTACTER LE SERVICE D'ABONNEMENT; EN APPELANT AU (514) 875-4444 (RÉGION DE MONTRÉAL) OU 1-800-667-4444 (EXTÉRIEUR DE MONTRÉAL) OU TÉLÉCOPIEUR (514) 523-4444 OU COURRIER ELECTRONIQUE: AQCOURRIER@ABONNEMENT.QC.CA OU EN ÉCRIVANT À:
>ABONNEMENT QUÉBEC
>525 RUE LOUIS-PASTEUR
>BOUCHERVILLE, QUÉBEC
>J4B 8E7

MERCI, À L'AVANCE, DE VOTRE COOPÉRATION.

BONNE LECTURE.

HARLEQUIN.

VOTRE PASSEPORT POUR LE MONDE DE L'AMOUR.

<u>COLLECTION</u>
<u>HORIZON</u>

Des histoires d'amour romantiques qui vous mènent au bout du monde!

Découvrez la passion et les vives émotions qu'apportent à la Collection Horizon des auteurs de renommée internationale!

Captivantes, voire irrésistibles, ces histoires d'amour vous iront assurément droit au coeur.

Surveillez nos trois nouveaux titres chaque mois!

69 L'ASTROLOGIE EN DIRECT
TOUT AU LONG
DE L'ANNÉE.

(France métropolitaine uniquement)
Par téléphone 08.92.68.41.01
0,34 € la minute (Serveur SCESI).

Composé et édité par les
éditions Harlequin
Achevé d'imprimer en décembre 2004

BUSSIÈRE
GROUPE CPI

à Saint-Amand-Montrond (Cher)
Dépôt légal : janvier 2005
N° d'imprimeur : 45341 — N° d'éditeur : 11009

Imprimé en France